'가슴 뛰는 청춘, 그대에게 드립니다'

님께

드림

불안하니까 청춘이다

막막하니까 청춘이다

흔들리니까 청춘이다

외로우니까 청춘이다

두근거리니까 청춘이다

그러니까 청춘이다

# 아프니까 청춘이다

인생 앞에 홀로 선 젊은 그대에게

· 김난도 지음 ·

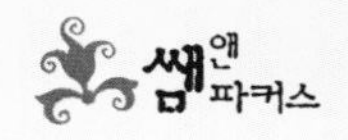

# 아프니까 청춘이다

2010년 12월 24일 초판 1쇄 발행 | 2011년 2월 17일 105쇄 발행
지은이 · 김난도

펴낸이 · 박시형
기획 · 고아라 | 책임편집 · 권정희, 이혜진 | 표지디자인 · 이정현 | 본문디자인 · 김애숙

경영총괄 · 이준혁
디자인 · 김애숙, 서혜정, 이정현, 박보희 | 출판기획 · 고아라, 김대준
편집 · 최세현, 권정희, 이선희, 김은경, 이혜진
마케팅 · 권금숙, 김석원, 김명래 / 장건태
경영지원 · 김상현, 이연정, 이윤하
펴낸곳 · (주) 쌤앤파커스 | 출판신고 · 2006년 9월 25일 제313-2006-000210호
주소 · 서울시 마포구 동교동 203-2 신원빌딩 2층
전화 · 02-3140-4600 | 팩스 · 02-3140-4606 | 이메일 · info@smpk.co.kr


ISBN 978-89-6570-003-6 (03810)

이제 곧 스무 살이 될
사랑하는 준에게

프롤로그

# 기억하라, 너는 눈부시게 아름답다

"젊음은 젊은이에게 주기에는 너무 아깝다."

영국의 작가 조지 버나드 쇼는 이렇게 말했다. 이토록 절절한 표현도 부족하다고 생각될 만큼 젊음은 소중하고, 또 소중하다. 그대 인생의 '아까운' 젊음이 활짝 피어나는 시기가 바로 지금이다. 인생의 가장 소중하고 중요한 시간인 것이다.

어른들은 그대를 볼 때마다 허공을 쳐다보며 부러움인지 아쉬움인지 모를 목소리로 말한다.

"조오흘(좋을) 때다!" (註 : 정희성 시인의 〈태백산행〉에서 인용함.)

그토록 좋은 시기라는 것은, 가능성 때문이다. 그대는 연마하기에 따라 값어치를 매길 수 없는 광채를 내뿜을 원석(原石)이다. 그대가 만약 대학에 있다면, 더욱 큰 축복이다. 대학은 원석을 갈고닦아 가장 찬란한 광채를 내뿜을 수 있도록 하는, '최선의 자기'를 발견하는 곳이므로. 대학에서는 육중한 교문의 푸른 녹슬음, 우람한 교정 느티나무의 푸르름조차 가르침을 준다. 그래서 대학이 좋고, 그 대학에 다니는 그대의 젊음이 좋다.

하지만 안다, 더할 나위 없이 힘든 시기이기도 하다는 것을. 어른들은 "네가 무슨 걱정이 있겠냐?"라거나 "나 때는 더 힘들었다."고들 하지만, 젊은 그대들이 짊어진 고민의 무게는 생각보다 훨씬 무겁다. 특히 20대 초반, 대학시절은 사회적으로는 어른 취급을 받지만 내면은 아직 어른이 될 준비를 마치지 못한 아슬아슬한 경계의 시기이자, 입시준비로 유예됐던 사춘기의 성장기적 문제가 한 번에 터져 나오는 폭발의 시기다. 그뿐인가. 열정이 존재를 휘두르고 기대가 존재를 규정하는, 불일치의 시기이기도 하다. 그런 의미에서 이때야말로 인생에서 가장 화려하면서도, 가장 어두운 시기다.

많은 청춘들이 힘겨워한다. 그래서 이 시기를 조금이라도 빨리 벗어나고자 마음이 조급해진다. 무언가 이뤄야 한다는 강박에 휩쓸린 탓에 잠시 숨을 고르기 위해 멈춰 서는 것조차 불안해하며, 정작 자신의 무한한 가능성은 깨닫지 못한다. 가장 어두운 시기이지만 화려한 시기이기도 함을 망각하는 것이다. 그러다 계절이 바뀌듯 반드시 찾아오게 마련인 질풍노도의 시기에는 헤어날 수 없는 자기연민에 빠진다. 결국 형편없는 생활 속에서 나태를 낭만이자 로망으로 미화하며, 금쪽같은 청춘의 기회를 허망하게 소모해버린다. 나름 무척 똑똑하게 행동하는 것 같지만, 인생 전반을 놓고 바라볼 때는 너무나도 바보 같은 결정을 아무렇지도 않게 한다.

나는 대학에서 흔들리는 청춘들과 늘 부대끼면서, 이 어려운 시기를 버텨야 하는 아픈 그들을 따뜻한 위로의 말로 보듬어주고 싶었다. 때로는 차가운 지성의 언어로 미처 그들이 하지 못한 생각을 일깨워주고 싶었다. 화려한 시기를 마음껏 즐겨야 하는 청춘들을 뜨거운 격려의 말로 응원해주고 싶기도 했다.

이 소망을 담아 글을 쓴다. 더 가열차게 이런저런 스펙을 쌓아야 한다는 처세 글이나, 대책 없는 감상으로 "걱정하지 마, 다 잘될 거야!" 하는 근거 없는 낙관으로 가득한 글이 아니라 그대들의 영혼을 울리는 마음의 글, 그대들의 머릿속에 내리치는 따끔한 죽비 같은 글을 전해주고 싶다. 취업의 포로가 되어 하루하루를 조급하게 달려가는 그대에게 진정한 미래의 그림을 그려주고 싶다. 대학에 몸담은 선생으로서, 공부든 취업이든 생활이든 연애든 그대들의 현실적인 고민을 세밀하게 짚으면서 때로는 따뜻하게 위로하고, 때론 엄하게 꾸짖어주고 싶다.

어찌 보면 이 책의 내용들은 모두 '큰 지식을 얻고', '큰 책임을 느끼고', '큰 꿈을 꾸라'는 뻔한 이야기의 반복이다. 하지만 나는 뻔한 내용이더라도 책상머리에 앉아 손끝으로 쓰지 않으려 노력했다. 많은 청춘들을 직접 만났고, 미니홈피와 트위터, 블로그를 통해 소통했으며, 1,000명에 이르는 전국의 대학생을 대상으로 설문조사를 하여(온라인 조사 전문회사 엠브레인을 통해 진행한 이 설문조사의 자세한 결과는 추후에 언론이나 책을 통해 발표할 예정이다) 좀 더 객관적으로 그대들의 문제를 보려 했다.

잘된 얘기는 잘난 척하는 것 같고 안된 얘기는 창피해서 못 견디겠더라도, 내가 청춘이었던 시절을 떠올리며 그 경험에서 우러나온 이야기를 하려 애썼다. 권위를 앞세우는 대학교수가 아니라 '진짜 선생'이 되고 싶은 교육자로서, 조금이라도 더 살아본 인생 선배로서, 사랑하는 두 아이의 아버지로서, 꼭 한번은 들려주고 싶었던 이야기를 하려 했다.

이것이 내가 어렵게 이 글을 쓰게 된 이유다. 매일 젊은 청춘들을 만나는 직업이 아니었다면, 그래서 그들의 고민과 오류를 함께 느끼지 못했더라면, 펜을 들 마음을 먹지 못했을 것이다. 그러므로 이 글은 20대를 향하고 있지만, 때로는 그중에서도 대학생에 특화된 부분도 있음을 양해해주기 바란다. 그런 대목을 만나거든, 만약 그대가 대학생이 아니더라도 자신의 위치에서 나의 당부를 되새기는 적극적인 독서를 해주기 바란다.

모쪼록 나는 그대들이 더 어리석었으면 좋겠다. 너무 영리하게 코앞에 있는 단 1%의 이익을 좇는 트레이더가 아니라, 자신의 열정에 가능성을 묻어놓고 우직하게 기다릴 줄 아는 투자가였으면 좋겠다. 눈앞에 보이는 결승점을 향해 전력질주한 후 지쳐 헐떡이며 퍼져버리는 100m 달리기 선수가 아니라, 저 멀리 열망하는 목적지를 향해 뚜벅뚜벅 걸음을 옮기는 우둔한 답사자였으면 좋겠다.

그대, 그 이름만으로도 가슴 뛰는 청춘이다. 어리석은 답사를 지금부터 시작하라. 이 책에 적힌 어느 한 줄이 그 답사의 이정표가 되기를 희망한다.

2010년 겨울

김난도

# |차 례|

## PART 3 기적이란 천천히 이루어지는 것이다



## PART 4 '내일'이 이끄는 삶, '내 일'이 이끄는 삶

# 그대 눈동자 속이 아니면 답은 어디에도 없다

## PART 1

# 인생시계 :

## 그대의 인생은 몇 시인가?

내 책상 위에는 가지 않는 탁상시계가 있다. 고장 난 것은 아니다. 내가 일부러 건전지를 빼두었다. 그렇다고 이 시계가 늘 서 있기만 한 것은 아니다. 매년 내 생일이 되면, 18분씩 앞으로 시계바늘을 옮긴다.

### I

방금 K군이 다녀갔다. 내일모레면 나이가 '계란 한 판'인데 제대로 이뤄놓은 것 하나 없고, 앞으로 어떻게 할지 딱 부러지게 구체적인 계획조차 세우지 못했단다. 답답해 미칠 것 같다며 오랜 시간 하소연을 하다가 돌아갔다.

서른, 금방 온다.

다들 하는 부전공이나 복수전공에 필요한 학점을 채우려면 4년 만에 대학 졸업하기가 쉽지 않다. 더구나 요즘엔 어학연수, 인턴, 아르바이트 등 취업에 필요한 경험과 '스펙'을 만들어줘야 한다. 그러자니 한두 학기 휴학은 기본이다. 남학생들은 군대도 다녀와야 한다. 혹시 재수를 했거나 편입, 전과(轉科)를 한 경력이 있다면 다시 1~2년 추가다. 졸업 후에 고시나 유학 준비한다고 여기저기 학원 좀 다니다 정신 차려 보면, 금방 서른이다.

비단 서른을 코앞에 둔 친구들이 아니더라도, 많은 청춘들이 시간의 속도 앞에서 전율한다. 대학 2학년들은 신입생 시절이 어떻게 지나갔는지 모르겠다고 하고, 3학년만 되어도 졸업이 목전에 다가왔다고 엄살이 대단하다. 덜컥 졸업은 했는데 일할 곳이 없는 청춘이라면, 흘러가는 하루하루가 고스란히 조급함과 낙담의 시간으로 남는다. 사회에 성공적으로 첫발을 내딛었다고 불안이 사라질까? 그런 기대는 섣부르다. 빨리 자리 잡고 싶고, 빨리 뭔가 이루고 싶고……. 지금 이 글을 읽는 그대도 적잖이 걱정하고 있을지 모른다.

"이 나이 되도록 제대로 해놓은 것 하나 없구나……."

## 2

그대, 인생을 얼마나 산 것 같은가?

이 질문이 너무 막연하게 느껴진다면, 이렇게 물어보겠다. 사람이 태어나서 죽을 때까지를 24시간에 비유한다면, 그대는 지금 몇 시쯤을 살고 있는 것 같은가? 태양이 한참 뜨거운 정오? 혹시 대학을 방금 졸업했다면, 점심 먹고 한창 일을 시작할 오후 1~2시쯤 됐을는지?

막연하게 상상만 할 것이 아니라 한번 계산기를 들고 셈해보자. 그대가 대학을 스물넷에 졸업한다 하고, 하루 중 몇 시에 해당하는지. 한국인의 평균수명이 80세쯤 된다 치면, 80세 중 24세는 24시간 중 몇 시?

아침 7시 12분.

아침 7시 12분. 생각보다 무척 이르지 않은가? 많은 사람들이 잠자리에서 일어나 하루를 준비하는 시각이다. 아침잠이 많은 사람이라면 아직 일어나지 않았을지도 모른다. 그렇다. 대학을 졸업하는 스물넷이 고작 아침 7시 12분이다.

선생으로서 수많은 젊은이들의 성장기를 지켜본 나로서는, 이 7시 12분의 비유가 의미하는 바가 무척이나 크다고 생각한다. 유년기와 청

그렇다, 스물넷이 고작
아침 7시 12분이다.
집을 막 나서려는 순간이다.

소년기를 거쳐 사회활동을 할 준비를 마치는 24세는, 출근준비를 마치고 이제 집을 막 나서려는 시각과 비슷하다.

그렇다면 은퇴를 하고 노년을 준비하는 60세는? 저녁 6시다. 직장인들이 일을 마치고 퇴근하여 집으로 돌아가거나, 저녁시간을 즐기려는 때다. 참 절묘하지 않은가? 그래서 나는 인생 80을 24시간에 비유하기를 좋아한다.

인생시계의 계산법은 쉽다. 24시간은 1,440분에 해당하는데, 이것을 80년으로 나누면 18분이다. 1년에 18분씩, 10년에 3시간씩 가는 것으로 계산하면 금방 자기 나이가 몇 시인지 나온다. 20세는 오전 6시, 29세는 오전 8시 42분이다. 이 시계는 현재 한국인의 평균수명인 80세를 기준으로 했으니, 앞으로 평균수명이 늘어나는 만큼 그대의 인생시각은 더 여유로워질 확률이 높다.

언젠가 우리 학과의 홈커밍 행사에 오신 60세가 넘은 원로 졸업생께서 그런 말씀을 하셨다. 본인은 교사를 하셨는데 어느 장관이 갑자기 정년을 단축시켜버려서 아무 준비 없이 황망하게 정년이 닥쳤더라고. 처음엔 그 장관이 너무너무 미우셨단다. 하지만 지금은 그에게 정말정말 감사한다고. 은퇴하고 나니까 인생에서 가장 행복한 새로운 세상이 있더라며, 그 세상을 2년 일찍 알게 해줘 고맙다고……. 나는 어르신의 말씀에 깜짝 놀랐다. 그렇다. 붉은 노을이 내려앉는 6시 이후에도 엄청나게 새로운 세상이 기다리고 있는 것이다.

인생시계를 보여주면 많은 사람들이 깜짝 놀란다. 생각보다 너무 이르다는 것이다. 쉰을 맞이한 선배에게 "이제 겨우 오후 3시예요." 하고 알려줬더니, 연방 손가락을 꼽아보며 "정말이네?" 한다. 졸업을 맞는 스물넷 친구들에게 이 이야기를 하면, 대다수가 "나름대로 인생 꽤 살았다고 생각했는데, 이제 오전 7시 12분밖에 안 됐어요?" 한다.

그렇다. 아직 많이 남았다. 아침 7시에 일이 조금 늦어졌다고 하루 전체가 끝장나는 것은 아니지 않은가.

"나는 너무 늦었어!"라고 단정 지으려는 것은, '사실'의 문제가 아니라 '자기기만'의 문제다. 혹시라도 포기나 좌절의 빌미를 스스로 만들어서는 안 된다. 그대, 아직 이르다. 적어도 무엇이든 바꿀 수 있을 만큼은.

## 3

책상 위의 내 인생시계는 오후 2시 24분을 가리키고 있다. 나이 마흔여덟에 아직 오후 2시 30분도 되지 않았다니……. 쉰을 앞두고도 아무것도 해놓은 것이 없다는 생각이 들 때마다, 고개를 들어 아직 하루가 오롯이 남아 있는 내 인생의 탁상시계를 바라본다. 〈벤자민 버튼의 시계는 거꾸로 간다〉라는 영화에 그런 대사가 있었다.

"인생에 너무 늦었거나, 혹은 너무 이른 나이는 없다."

# 그대의 열망을 따라가라

· 월급이 적은 쪽을 택하라
· 내가 원하는 곳이 아니라, 나를 필요로 하는 곳을 택하라
· 승진의 기회가 거의 없는 곳을 택하라
· 모든 조건이 갖춰진 곳을 피하고 처음부터 시작해야 하는 황무지를 택하라
· 앞다투어 모여드는 곳에는 절대 가지 마라, 아무도 가지 않은 곳으로 가라
· 장래성이 전혀 없다고 생각되는 곳으로 가라
· 사회적 존경을 바라볼 수 없는 곳으로 가라
· 한가운데가 아니라 가장자리로 가라

· 부모나 아내나 약혼자가 결사반대하는 곳이면 틀림없다, 의심치 말고 가라
· 왕관이 아니라 단두대가 기다리고 있는 곳으로 가라

경남 거창고등학교의 '직업 선택의 십계명'이다. 주요 포털사이트 검색창에 '거창고등학교 십계명'이 아예 등록되어 있을 만큼 유명하다. 나는 이 글을 읽을 때마다 매번 등줄기에 찌릿찌릿 전기가 올 만큼 전율한다. '나는 이 글의 10분의 1만큼이라도 유용하고 담대한 조언을 내 학생들에게 주었던가?' 하는 반성과 함께.

1년 전 학위를 받은 후 여러 대학을 전전하며 시간강사 생활을 하고 있는 A박사가 면담을 신청해왔다. 보수가 넉넉한 데다 기업문화가 좋기로 유명한 어느 대기업의 연구소에서 입사를 제안해왔다는 것이다. 본인은 기다려서 교수가 되고 싶은데, 주변에서는 입사를 강하게 권해서 고민이 많다고 했다.

자살하는 시간강사의 이야기가 심심찮게 들려올 만큼, 우리나라에서 가장 열악한 직업 중 하나가 시간강사다. 나도 2년 가까이 해봐서 잘

안다. 한 학기에 세 과목을 강의한다고 했을 때 한 달 수입이 120만 원 정도다. 그나마 방학에는 나오지 않는다. 4대보험 혜택 같은 것은 물론 없다. 특정 학과나 교수의 온갖 잡무를 도맡아 처리해야 하는 일도 흔하다. 요즘은 포스트닥터, 강의교수 제도 등이 생겨서 젊은 박사들에 대한 처우가 조금 나아졌다고는 하지만, 엄청난 학비와 시간을 투자해 박사학위를 취득한 인재들에게는 턱도 없는 대우다.

하지만 시간강사들이 열악한 처우나 노동 착취보다 훨씬 더 힘들어하는 것은, 그들의 목표인 교수가 될 기회가 너무 적다는 사실이다. 대학병원의 레지던트나 사법연수원생의 근무여건과 처우도 물론 열악하지만 사회적으로 크게 문제가 되지는 않는다. 그들은 곧 의사나 법조인이 될 예정이므로 그 정도는 감수해도 괜찮으리라는 심정적 양해 같은 게 있다. 꿈이 실현될 가능성이 높은 한, 비참한 현실은 얼마든지 참아낼 수 있는 법이다.

하지만 시간강사의 경우는 다르다. 교수 되기가 매우 어렵다. 교수 정원(T/O)이 많지 않기 때문에 자기 전공에 맞는 자리가 날 때까지 무작정 기다려야 하고, 막상 공고가 나더라도 그 경쟁은 살인적으로 치열하다. "나중에 교수가 될 거니까, 열악한 처우지만 참고 기다려라." 하고 요구하기에는 너무나 현실이 가혹한 것이다.

이런 현실을 너무나도 잘 알고 있는 나였기에, A박사에게 많은 사람들이 선망하는 대기업의 제안을 물리치라는 얘기를 차마 할 수가 없었다. 나는 겨우겨우 힘을 내어 간신히 답했다.

"그건 자네가 얼마나 교수가 되고 싶은가 하는 '열망'의 문제네. 자네 전공에 맞는 채용공고가 언제 날지 전혀 장담할 수도 없고, 그때까지는 이렇게 불안정한 생활을 계속해야 하니 말일세. 그걸 모두 견딜 수 있을 만큼 교수가 되고 싶다는 열망이 강하다면, 그 열망에 대한 스스로의 확신이 있다면, 이번 제안은 거절하고 더 기다려보게."

지그시 입술을 깨물던 그는 며칠만 더 생각해보겠다며 돌아갔다. 그러고는 바로 다음 날 나를 찾아왔다.

"그 회사에는 가지 않겠다고 연락했습니다. 조금 더 준비해서 좋은 결과 있도록 해보겠습니다."

참 바보 같은 결정이다.

그에게 스카우트를 제의한 회사는 대한민국 어느 젊은이라도 마다하지 않을 선망받는 대기업이었다. 그런 '확실하고 안정된' 직장은 일단 받아들여야 마땅하다. 회사를 다니면서 실적을 쌓고, 교수가 될 기회를 살피는 것이 가장 합리적인 의사결정일 것이다.

하지만 그도 알고 나도 안다. 일단 회사에 발을 들여놓으면 논문을 쓰고 강의 경력을 쌓을 시간을 내기 어렵다. 그래서 조금, 아주 조금씩 교수의 길과는 멀어지게 된다. 기업으로 갔던 그의 수많은 선배들이 교수의 꿈을 그렇게 천천히 접었다.

그렇다고 무작정 기다린다고 어떤 보장이 그를 기다리고 있는 것은 물론 아니다. 특히 우리 전공은 학계가 좁은 편이어서 채용공고가 자주 나지 않는다. 1년만 기다리면 된다는 식의 기대는커녕, 통상적인 예측도 쉽지 않은 것이 현실이다.

게다가 교수라는 것이 사실 그렇게 대단한 직업도 아니다. 물론 아직도 여러 장점이 있기는 하지만, 직업으로서 교수의 매력은 예전 같지 않다. 사실 대기업에 입사해서 실력을 보이고 임원으로 승진할 수 있다면, 그 편이 훨씬 더 '성공한' 인생일는지도 모른다.

그러므로 합리적으로 생각한다면 그 제안은 일단 받아들였어야 맞다. A박사는 참 바보 같은 결정을 했다.

그가 이런 결정을 한 이유는 딱 하나다. 대학에서 후학(後學)을 가르치고 싶다는 열망 때문이다. 박사를 받기까지 오랫동안 조교생활을 해봤기에, 교수가 실상 그다지 매력 있는 직업이 아니라는 것을 그도 잘 알고 있다. 하지만 강단에 서서 학생들에게 자신의 지식을 나누어줄 때의 희열을 누구보다도 잘 알기에, 그는 그토록 바보 같은 결정을 했던 것이다.

열망은 힘이 세다. 세상의 잣대가 아니라, 자신의 가치와 열정과 보람을 기준으로 삶을 살 수 있게 하기 때문이다. 그렇게 좁고 험난한 길을 사서 가는 바보 같은 결정을 내린 사람들이, 어느 순간이 되면 누구도 넘볼 수 없는 자리에 우뚝 서 있다. 매 순간 가장 합리적으로 최적화된 의사결정이 모인다고 해서, 궁극적으로 가장 합리적인 결과가 나오는 것은 아니다. 바로 열망의 힘 때문이다.

대학에 있다 보니 대학에 입학하려는 학생들의 전공과 진로 선택에도 유행이 있다는 걸 느낀다. 파일럿을 주인공으로 한 드라마가 히트를 하면 이듬해 항공관련 학과의 경쟁률이 난데없이 올라가고, 빵을 만드는 주인공이 나오는 드라마가 뜨자 관련 학과의 인기가 갑자기 높아진 적도 있다. 물론 오해는 없기를. 이들 모두 좋은 전공이다. 하지만 자기 필생의 업을 정하는데, TV에 등장했다는 이유로 마치 벌떼처럼 몰려다니는 것은 문제라는 것이다.

대학에 들어와서도 마찬가지다. 1990년대 말에는 미국 로스쿨로 유학하는 것이 붐이었다. 그 열기가 미국회계사(AICPA)로 옮겨가는 듯하더니, 이내 유학을 떠나는 것보다는 국내에 머무는 것을 선호하게 됐다. 이과에서는 치의학 및 의학전문대학원에 주로 진학하고, 문과에서는 단연 법학전문대학원(로스쿨) 입학이 화두다.

의사나 변호사가 형편없는 직업이라는 말을 하려는 것이 결코 아니다. 자신의 열정이 아니라 남들이 다들 좋다니까 선택하는 직업이란, 그냥 안정적이고 고소득이 보장되는 것 같아서 선택하는 직업이란 공허하다는 사실을 지적하고 싶을 뿐이다.

미래가 이끄는 삶, 꿈이 이끄는 삶, 열망이 이끄는 삶을 살아야 한다. 열망을 뜻하는 영단어 'passion'은 아픔이라는 의미의 'passio'를 어원으로 한다고 한다. 그렇다. 열망에는 아픔이 따른다. 그 아픔이란 눈앞에 당장 보이는 달콤함을 미래의 꿈을 위해 포기해야 하는 데서 온다.

연봉으로 1달러를 받고 일하며 천문학적인 스톡옵션을 직원들에게 양보한 애플의 CEO 스티브 잡스는 이렇게 말했다. "돈을 위해 열정적으로 일한 것이 아니라, 열정적으로 일했더니 돈이 생겨 있더라." (애플의 대주주인 그는 물론 세계적인 부자다.) 그의 말이 맞다. 그런데 여전히 많은 사람들이 돈과 열망의 인과관계를 착각하고 있다.

A박사가 거창고 십계명을 알고 있었는지는 모르지만, 그는 이미 온몸으로 그 계명을 실천하고 있다. 아마 그의 각오보다 훨씬 빠른 시간 안에 꿈을 이루리라 믿는다.

그는 참 바보 같은 결정을 했다.

하지만 그 바보 같음이 그를 더 빨리 꿈에 데려다 주리라.

# 너라는 꽃이 피는 계절

대학에서 교수생활을 하는 즐거움 중 하나는 사시사철 변모하는 캠퍼스의 아름다움을 온몸으로 느낄 수 있다는 것이다. 졸업한 친구들이 오랜만에 학교를 찾아오면 하나같이 하는 말이 있다. "학교 다닐 때는 몰랐는데 교정이 정말 아름다워요!" 대리석과 유리로 외피를 두른 멋진 건물도 주지 못하는 매력이 자연에는 있다.

내가 몸담은 학교는 예전에 골프장이었던 산기슭에 있어서 조경이 무척 잘되어 있다. 특히 철마다 꽃들이 차례로 피어나 자태를 뽐낸다.

아직 바람이 차가운 입학식 즈음에는 매화가 군데군데 피다가, 개강을 하고 꽃보다 아름다운 신입생들이 건물의 위치를 묻고 다닐 때에는 개나리와 진달래, 목련이 캠퍼스를 온통 화사하게 물들인다.

중간고사 즈음엔 단연 벚꽃이다. 흐드러지게 피어올랐다가 꽃비를 뿌리며 단번에 스러지는 도서관 뒷길의 벚꽃은 한창 시험 준비로 바쁜 학생들의 마음을 심란하게 한다. 이어 찾아오는 계절의 여왕, 5월은 장미의 계절이다. 성년의 날이라도 되면 꽃바구니가 지천이다. 마치 강의실 바닥에 장미꽃이 피어 있는 듯하다. 5월엔 또 어버이날, 스승의 날이 있으니 카네이션도 참 좋다.

방학이 시작되면 군데군데 나팔꽃이며 해바라기며 여름 꽃들이 보인다. 이윽고 후문 진입로에 피어나는 코스모스를 보며 다시 가을학기 개강이 멀지 않았음을 느낀다. 2학기 개강을 하고 간혹 봄학기인지 가을학기인지 순간 헷갈릴 때가 있는데, 그때마다 책상 위에 꽂힌 국화를 보고 가을이 왔음을 안다. 국화마저 지고 나면 학교 마당에는 더 이상 꽃이 피지 않지만, 저 남쪽에 동백이 피었다는 소식이 들린다.

매화, 벚꽃, 해바라기, 국화, 동백…….

갑자기 꽃 얘기를 이렇게 장황하게 늘어놓는 것은, 그대에게 이 질문을 하고 싶어서다.

"자, 위에 등장한 꽃 중에서 그대는 어떤 꽃이 가장 훌륭하다고 생각하는가?"

그렇다. '가장 좋아하는가'가 아니라 '가장 훌륭하다고 생각하는가'다.

"참 어리석은 질문이네. 계절 따라 피는 꽃은 저마다 나름의 아름다움이 있는데, 무엇이 가장 훌륭하냐고? 이건 말이 안 되는 질문이야!"

이렇게 생각했다면, 질문의 의도를 제대로 파악한 것이다.

가장 훌륭한 꽃은 없다. 저마다 훌륭하다. 나름의 이유가 있어 제가 피어날 철에 만개하는 것이다.

문제는, 꽃에 대해서는 그렇게 유연하게 사고할 수 있으면서 자기 인생에 대해서는 그렇게 생각하지 못한다는 것이다. 청춘들은 대부분 가장 일찍 꽃을 피우는 '매화'가 되려고만 한다.

인생에 관한 한, 우리는 지독한 근시다. 바로 코앞밖에 보지 못한다. 그래서 늦가을 아름다운 고운 빛을 선사하는 국화는 되려 하지 않고, 다른 꽃들은 움도 틔우지 못한 초봄에 향기를 뽐내는 매화가 되려고만 한다. 하지만 '일찍' 꽃을 피웠다는 이유만으로 매화가 세상 꽃 중에 가장 아름다운가? 가장 훌륭한가?

그렇지 않다. 매화 꽃잎이 다 지고 난 5월에 만개하는 장미는 어느 꽃보다 화려한 자태를 자랑한다. 하지만 장미가 마음이 급해 3월에 피고자 한다면 어떻게 될까? 춘삼월 찬이슬에 살아남기 어려울 것이다.

꽃은 저마다 피는 계절이 다르다. 개나리는 개나리대로, 동백은 동백대로, 자기가 피어야 하는 계절이 따로 있다. 꽃들도 저렇게 만개의 시기를 잘 알고 있는데, 왜 그대들은 하나같이 초봄에 피어나지 못해 안달인가?

그대, 좌절했는가? 친구들은 승승장구하고 있는데, 그대만 잉여의 나날을 보내고 있는가? 잊지 말라. 그대라는 꽃이 피는 계절은 따로 있다. 아직 그때가 되지 않았을 뿐이다. 그대, 언젠가는 꽃을 피울 것이다. 다소 늦더라도, 그대의 계절이 오면 여느 꽃 못지않은 화려한 기개를 뽐내게 될 것이다. 그러므로 고개를 들라. 그대의 계절을 준비하라.

소년등과(少年登科)라는 말이 있다. 어린 나이에 과거에 급제하여 높은 자리에 오르는 것을 의미한다. 일찍 출세했으니 다들 부러워했을 것이고, 예로부터 최고의 경지로 높이 받들었을 것 같다.

그런데 그렇지 않다고 한다. 오히려 옛사람들은 인간의 세 가지 불행 중 첫 번째로 소년등과를 꼽았다. (註 : 나머지 두 가지는 아버지 덕으로 좋은 벼슬에 이르는 것과, 재주가 좋은데 글까지 잘 쓰는 것이다. 〈정민의 세설신어〉, 조선일보 2010. 8. 26. A30면.) '소년등과 일불행(少年登科 一不幸)'이라 하여 '소년등과

하면 불행이 크다'거나, '소년등과 부득호사(少年登科 不得好死)'라 하여 '소년등과한 사람치고 좋게 죽은 사람이 없다'는 말도 있다.

이상하지 않은가? 일찍 출세하는 것이 인간의 3대 불행 중 하나라니 말이다. '좋게 죽지 못할 것이다'라는 단언은 섬뜩하기까지 하다. 왜 그럴까? 왜 일찍 출세하면 불행해지는 것일까?

너무 일찍 출세하면 나태해지고 오만해지기 쉽다. 나태하므로 더 이상의 발전이 없고, 오만하므로 적이 많아진다. 그러니 더 이상 성공하기 어렵고, 종국에는 이른 출세가 불행의 근원이 되는 것이다. 아마도 선인(先人)들은 수많은 사례를 경험한 끝에 이런 격언을 만들게 됐을 것이다.

선생으로서 내가 제자들에게 바라는 것은 '일찍' 출세하는 것이 아니라, '크게' 성공하는 것이다. 어차피 인생은 크고 작은 굴곡으로 이루어져 있다. 인생을 마감하면서 "내 가장 큰 성취는 이것이었다."라고 말하는 것이 중요하지, "그래도 내가 20대 후반에는 남보다 훨씬 잘나갔다."고 자위하는 것은 큰 의미가 없다.

그런데도 많은 청춘들이 소년등과를 부러워하고, 잠정적인 실패에 좌절하며, 잠깐의 뒤처짐에 열등감을 느낀다. 그러지 말라. 그대의 전성기는 아직 멀리 있다.

고(故) 김대중 전 대통령의 별명은 인동초(忍冬草)다. 겨울을 이겨내고 피어났다는 뜻이다. 그가 언제 자신의 꽃을 가장 아름답게 피웠다고 생각하는가? 많은 사람이 이견을 달지 않을 것이다. 한 나라의 대통령으로서 노벨평화상까지 수상했던 2000년, 그의 나이 76세 때이리라.

인동초라는 그의 별칭이 말해주듯, 김 전 대통령은 환갑이 넘을 때까지도 최악의 핍박을 견뎌야 했다. 그는 매우 젊은 나이에 국회의원이 됐지만 이후 사형선고만 세 번을 받았고, 인생의 대부분을 감옥이나 자택에 연금된 상태로 지냈다. 언론에 그의 이름 석 자가 보도되는 것조차 금지되던 시기도 있었다. 하지만 누구나 그를 이야기할 때에는 전직 대통령 혹은 노벨상 수상자로 언급한다. 그가 남보다 조금 일찍 국회의원이 됐다거나, 젊은 시절 오랜 영어(囹圄)의 기간을 보냈다는 사실이 그의 업적을 부풀리거나 폄훼하지 않는다.

나는 가끔 그런 생각을 한다. 고(故) 김대중 전 대통령이 요즘 많은 젊은이들이 그러하듯 '빨리' 성공하려고만 했다면 어떻게 됐을까? 더 빨리 대통령이 되고, 더 일찍 노벨상을 받을 수 있었을까? 아닐 것 같다. 세상에 그 많고 많은 '한때 잘나갔던' 정치인 중 한 명이 되고 말지 않았을까?

중요한 것은 얼마나 빨리 가느냐가 아니다. 마지막에 어떤 꿈을 이룰 수 있느냐다.

퀴즈 하나. 우리나라 영화제에는 있는데, 미국 아카데미 영화제에는 없는 수상부문은?

덧붙이자면 미국의 영화산업은 우리보다 역사도 더 오래되고 규모도 더 크기 때문에, 아카데미 영화제의 수상부문은 대종상 같은 우리나라 영화제보다 훨씬 더 다양하다. 그런데 우리나라에는 꼭 있는데 아카데미에는 없는 부문이 있다. 어떤 상인지 그대는 아는가?

답. '신인상'이다. 영화계에 데뷔한 첫해에 가장 훌륭한 연기를 보여준 배우에게 주는 상이다. 다들 '일생에 한 번밖에 기회가 없는 상'이라고 하며 굉장히 영광스러워한다. 탤런트나 가수를 오래 하다가 뒤늦게 영화에 데뷔한 배우들이 수상하기도 해서 지긋한 나이에 신인상을 받는 경우도 종종 있다. 그런데 정작 영화제의 꽃이라는 아카데미 영화제에는 눈을 씻고 찾아봐도 신인상 부문이 없다. 왜 그럴까?

내 생각에 미국 영화계에는 '신인'이 드물기 때문이다. 우리 눈에는 혜성처럼 나타난 배우 같아 보여도, 그의 필모그래피를 보면 수많은 단

역과 조연을 거쳐 오랜 경력을 쌓고 주연을 맡게 됐다는 것을 알 수 있다. 그렇다면 그는 언제 '신인'이었을까? 처음 단역에 출연한 시점? 비중 있는 조연을 하게 된 시점? 아니면 처음 주연을 한 시점? 이러한 기준이 모호하니까, 아예 신인상 부문을 만들지 않은 것이다.

자, 그대가 상을 받는다고 가정하고 혹시 고를 수 있다면, 신인상과 남우주연상 혹은 여우주연상 중 어떤 것을 원하는가?

신인상은 남보다 '빠른' 성취에 부여하는 상이다. 부러움을 더 크게 받는다. 하지만 신인상 수상 이후, 이어지는 작품에서는 기대만큼의 연기를 보여주지 못하고 슬럼프에 빠지는 모습도 자주 본다. '2년차 신드롬'이라는 말이 있을 정도다. 그러나 주연상은 다르다. 최고의 경지에 올랐을 때에만 받을 수 있는 상이다. 그러므로 큰 기복이 없다. 대개 부와 명예도 함께 따라와준다. 신인상은 시상식 초반에 주지만 주연상은 거의 마지막에 준다. 비중이 다르다는 의미다.

그렇다면 고민의 여지가 없을 것이다. 주연상을 받아야 한다.

그런데 많은 청춘들이 인생의 '신인상'에만 연연한다. 친구들보다 '빨리' 좋은 회사에 취직하고, 친구들보다 '먼저' 전문직에 나가고, 친구들보다 '앞서' 부와 안정을 누리고 싶어 한다. 다들 신인상에만 안달나 있을 뿐, 먼 훗날 주연상을 받을 수 있는 내공을 쌓아야겠다는 생각

인생에 관한 한, 우리는 지독한 근시다.
바로 코앞밖에 보지 못한다.
그래서 늦가을 고운 빛을 선사하는
국화는 되려 하지 않고,
다른 꽃들은 움도 틔우지 못한
초봄에 향기를 뽐내는
매화가 되려고만 한다.

은 별로 하지 않는 것 같다. 다들 20~30대에 무슨 직업을 가질 것인가에만 온통 관심이 가 있지, 인생의 사회적 전성기인 50~60대(고 김대중 전 대통령의 경우에는 70대)에 이루어야 할 비전에 대해서는 별 관심이 없는 것 같다.

기억하라. 그대가 노려야 할 것은 신인상이 아니라, 그대 삶의 주연상이다.

그대, 좌절했는가? 친구들은 승승장구하고 있는데, 그대만 잉여의 나날을 보내고 있는가? 잊지 말라. 그대라는 꽃이 피는 계절은 따로 있다. 아직 그때가 되지 않았을 뿐이다. 그대, 언젠가는 꽃을 피울 것이다. 다소 늦더라도, 그대의 계절이 오면 여느 꽃 못지않은 화려한 기개를 뽐내게 될 것이다. 그러므로 고개를 들라. 그대의 계절을 준비하라.

# 네 눈동자 속이 아니면, 답은 어디에도 없다

내게 진로상담을 청하는 학생들을 조금 거칠게 나누자면 크게 두 부류다. 자신의 미래에 대한 생각이 확고한 친구들과, 그렇지 않은 친구들. 나는 전자를 '화살파', 후자를 '종이배파'라고 부른다. 화살파는 불안해서 나를 찾아오고, 종이배파는 막연해서 내 방문을 두드린다.

화살파는 목표가 제법 분명하다. 자기는 꼭 UN 같은 국제기구에서 일을 하고 싶은데, 그러기 위해서는 유학을 가는 게 필수일 것 같고, 그래서 유학 어드미션(admission)을 잘 받기 위해 지난 방학에는 어느 대학 국제 캠프에 참가했고, 이번 여름에는 관련 기관에서 인턴을 할 생각이고……. 이번에 나와 상담하는 이유는 국제기구에서 일을 하려면 어떤 복수전공을 선택하는 것이 유리할지 조언을 듣기 위해서다.

내가 이들을 '화살파'라고 이름 붙인 이유는 인생을 최단경로로, 효율적으로만 설계하기 때문이다. 인생의 목표를 과녁처럼 세우고, 이를 겨냥해 어떻게 시위를 당길지 최적의 경로를 설정한 다음, 하나씩 실천하면 인생이 '화살처럼' 최단거리를 날아 목표에 명중할 것이라고 믿는다.

이 친구들은 자신이 설정한 중간목표들이 과연 최선인지 끊임없이 검증한다. 내 경험으로 보면 각 단계들의 인과관계가 꽤 과장되어 있는데도, 나름대로는 최선의 수단을 선택한다고 믿고 있다. 이들은 과연 올바른 경로를 택했는지, 더 나은 대안은 없는지가 가장 큰 고민이다.

화살파 중에는 모범생이 많다. 공부를 할 때도 12시부터 1시 30분까지는 토익, 10분 쉬고 1시 40분부터 3시까지는 스터디 준비, 이런 식으로 계획을 세워놓아야 마음이 편해지는 유형이다. 물론 그 계획을 실천했느냐 하는 것은 별개의 문제다. 이들은 계획이 제대로 '세워졌는지' 여부에 조바심을 많이 낸다. 그래서 목표와 수단이 매우 확실하게 정해졌음에도 불구하고 불안해한다. 자신이 가장 좋은, 가장 빠른 길을 가고 있는가 하는 의문을 끊임없이 제기한다.

물론 인생의 궁극적인 목표와 수단, 혹은 중간 단계의 목표가 확실하다는 것은 바람직한 일이다. 그러나 내가 화살파 친구들을 보며 가장 걱정스러운 것은, 그들이 성장하면서 수없이 만날 수 있는 가능성의 문을 자꾸 닫아버린다는 것이다.

아주 상세하게 자기 미래에 대한 설명을 모두 마치고 "어떤 것 같습니까, 선생님?" 하고 묻는 친구들에게 내가 꼭 던지는 질문이 있다.

"자네, 고등학생 때도 같은 계획을 가지고 있었나?"

지금 세운 이 계획이 고등학생 때에도 상상할 수 있었던 것인가, 묻는 것이다. 고등학생 시절 했던 상상, ○○학을 전공해서, 무슨무슨 자격증을 따고, 그래서 무엇이 되겠다는 상상이 막상 대학에 오니 그대로 유지되던가, 하는 말이다. '그렇다'는 답은 아직 한 번도 듣지 못했다. 대학에 들어와 만난 책 한 권, 선배 한 사람, 선생님 한 명, 우연한 사건 하나 때문에 그 치밀했던 계획이 송두리째 바뀌지 않았던가 말이다.

상황은 변한다. 그대가 고등학교 때 품었던 상상이 대학에 와서 크게 변한 것처럼, 그대의 지금 계획은 대학원이나 직장에서 경험하게 될 중요하고 소소한 여러 가지 정보와 사건을 만나 크게 바뀔 것이다. 그러므로 지금 계획이 과연 제대로 된 것인가, 하는 조바심은 내려놓고 미래설계의 문을 한 뼘쯤은 열어두어야 한다.

종이배파는 반면 목표가 너무 불확실해서 탈이다. “어떤 일을 하면 좋을까요, 선생님?” 이렇게 질문이 시작되면 상담하는 사람으로서도 참 당황스럽다. 이때는 이렇게 이야기를 시작한다.

“자네가 제일 잘하는 일, 하고 싶은 일, 혹은 제일 좋아하는 일은 뭔가?”

그러나 황당한 대답이 되돌아오기는 마찬가지다.

“음……, 글쎄요. 선생님 정말 죄송한데요, 저도 제가 뭘 잘하고 좋아하는지 잘 모르겠어요…….”

솔직히 답답한 노릇이다. 하긴, 자신이 무엇을 소망하는지 알고 있다면 나를 찾아오지도 않았을 것이다.

시냇물에 놓인 종이배는 순간순간 물살의 흐름에 몸을 맡기고 그저 흘러내려갈 뿐이다. 삶을 대하는 태도가 이런 종이배 같아서, 나는 이런 친구들을 종이배파라 부른다.

그렇다고 종이배파가 아무 생각도 없는 한심한 친구들은 아니다. 자신의 미래에 대해 나름대로 끊임없이 고민한다. 어쩌면 화살파보다 더 신중한지도 모른다. 혹은 너무 생각이 많거나 변덕이 심하기 때문일 수도 있다. 자꾸 미래에 대한 비전이 바뀌니까, 확고한 목표를 세우지 못하고 늘 고민만 하는 것이다.

종이배파는 막연해서 힘들다. 친구들은 제법 확고한 목표를 가지고 이것저것 준비하고 있는데, 나만 아무 생각 없이 시간을 보내고 있는 것 아닌가 하는 두려움이 크다. 그래서 혹시 지도교수라도 자신에게 잠재되어 있는 가능성을 읽어 "이런 미래는 어때?" 하고 짚어주기를 바라는 것이다.

하지만 어느 선생이 학생의 목표까지 설정해줄 수 있겠는가? 이것은 비단 선생뿐 아니라, 그 누구도 못 해줄 일이다. 오직 자기 자신만이 할 수 있다.

종이배파와 이야기하는 것이 어렵기는 하지만, 내가 오랜 시행착오를 거쳐 터득한 상담의 노하우가 있기는 하다. 최대한 말을 많이 시켜 끝까지 얘기를 들은 다음, '본인이 가장 듣고 싶어 하는 대답'을 해주는 것이다.

물론 가장 듣고 싶어 하는 그 한마디를 찾아내는 것이 어렵기도 하고, 어떻게 생각하면 무책임한 상담이기도 하지만, 효과는 제법인 것 같다. 눈을 반짝이며 "선생님도 정말 그렇게 생각하세요?" 하고 반문을 하며 나름대로 뭔가 새롭게 깨닫는 눈치다. 이를 보며 속으로 마음을 쓸어내린다. 어차피 상담자란 도와주는 사람이니까, 그가 자신을 반추하도록 도와주었다면 상담자로서 나의 임무는 어느 정도 수행했다고 위안하면서.

내가 내린 판단으로 상담하지 않고 그들의 이야기 속에서 답을 찾아 반문했을 때 가장 효과가 좋았다는 사실은, 곧 누구나 자기 가슴속에 답을 안고 산다는 뜻이다. 다만 이런저런 이유로 그것을 꺼내들지 못했을 뿐.

그래도 선생이자 인생 선배로서 한마디 조언을 한다면, 높은 계단을 오를 때는 저 끝이 아니라 '눈앞의 한 계단'에 초점을 맞추라는 것이다. 한 계단, 한 계단 오르듯 목표의 시점(視點)을 짧게 잡고 하나씩 실천해 봤으면 좋겠다.

이런 점에서 종이배파가 빠지기 쉬운 가장 위험한 함정은 나태다. 목표와 수단이 혼란스러우니 무엇을 해야 할지 몰라 손을 놓아버린다. 무력해지는 경우도 부지기수다. 며칠만 그렇게 지내도 이내 게으름의 타성이 붙는다. 나태가 자꾸 익숙해지면 '이러면 안 되는데' 하는 자괴감만 커지고, 그 때문에 삶의 목표에 대한 방향감각은 어디론가 사라져버린다. 악순환이다. 그래서 종이배파일수록 오늘의 할 일, 이번 주의 계획, 이번 달의 목표 등 소소하더라도 이뤄낼 수 있는 일을 차근차근 세워 챙기는 실천력이 필요하다.

바람직한 자세는 화살과 종이배 사이 어디쯤 있을 것이다. 인생은 젊은 시절에 세워둔 목표를 향해 화살처럼 날아가지도, 종이배처럼 세월의 물살에 이리저리 휩쓸려 얼토당토않은 지점으로 흘러가지도 않는다. 그러니 자신의 지향점을 끊임없이 고민하며 다양한 경험을 해보고, 상황의 변화를 유연하게 받아들이는 태도가 중요하다.

그대가 화살파든 종이배파든, 혹은 그 사이 어디쯤 어정쩡하게 서 있더라도 변함없이 중요한 사실이 하나 있다. 자기 자신을 직면하는 시간이 필요하다는 것. 나와 나 사이에 아무것도 끼어들게 하지 말고, 자신의 맨얼굴을 정면으로 응시하는 시간이 필요하다. 부모의 기대, 사회의 분위기, 친구들 사이의 트렌드 같은 것들은 모두 잊어버리고서.

"나는 무엇을 원하는가?"

"나는 무엇을 할 때 행복한가?"

"나는 무엇을 가장 잘하는가?"

"나는 누구인가?"

자기 자신에 대한 성찰을 통해 꿈을 계속 버전업하라.

그대의 눈동자 속이 아니면 답은 어디에서도 찾을 수 없다.

# 때로 우연에 기댈 때도 있었다

(註 : 황동규 시인의 《우연에 기댈 때도 있었다》에서 인용함.)

누구나 목표를 가지고 산다. 고등학교 때는 높은 수능 점수를 받아 좋은 대학에 가겠다고, 대학에 입학해서는 좋은 직장을 갖겠다고, 취직하고 나서는 더 높은 직급으로 승진하거나 더 나은 회사로 옮기겠다고……. 그런 목표들을 가지고 산다. 그렇게라도 목표를 가지지 않으면 온당치 않은 것이라고, 퇴보하는 것이라고, 그렇게 스스로를 학습시키면서 산다.

당연히 나도 예외가 아니다. 그 나이 또래의 동년배들이 갖도록 '되어 있는' 목표들을 세우고 그것을 성취하려고 애쓰며 살아왔다. 그중에는 이룬 것도 있지만 이루지 못한 것이 더 많다.

생각해보면 지금의 내 모습 자체가 비교적 최근까지도 전혀 내가 목표하지 않았던 나다. 수많은 직업을 나와 연결시켜 보았지만 교수가 되고 싶다는 소망은 대학원 2학년 때에야 처음 가지게 되었다. 더구나 법학과 행정학을 전공한 내가 소비자학과에서 교수생활을 하게 될 줄은 박사학위를 받고 나서도 한참은 생각지도 못했던 일이다.

그럼에도 나는 목표를 이루지 못했다는 자책에 시달리거나 더 높은 목표에 매달리지 않는다. 내가 이제 성공했다고 믿어서가 결코 아니다. 이 자리에서, 청년기의 내가 꿈꾸었던 보람을 다른 어떤 일에서만큼이나 똑같이 느낄 수 있기 때문일 것이다. 지금의 내 삶이란 젊을 때 목표했던 것과는 판이하게 다른 것이지만, 그렇다고 해서 실패한 인생이라고 여기지는 않는다. 솔직히 고백하자면, 실은 이 편이 오히려 더 잘됐다는 생각을 할 때도 있다.

대학에 진학해서 처음 느끼는 어려움은 '목표가 퍼져버리는 것'이다. 그것은 12년의 초중등교육을 통틀어 짊어지고 왔던 '대학 진학'이라는 목표가 달성되고 난 이후, '무엇을 할 것인지'가 순간 막연해지면서 생겨나는 아픔이다. 좁은 계곡을 헤쳐 나가야 했던 강물이 비로소 소망했던 바다를 만났을 때의 막연함이랄까.

그래서일까, "이제 대학 들어갔으니 좋겠다."는 덕담에도 불구하고, 많은 학생들이 1학년 여름방학을 넘길 즈음부터 원인을 알 수 없는 불안에 빠진다. 지금까지의 인생이 소망했던 목표가 실은 아무것도 해결해주지 않는다는 허망함……. 내가 그랬듯, 우리 후배들에게 그것은 얼마나 당황스러운 현실일 것인가?

많은 1학년 학생들이 이제 무슨 목표를 세워야 할지 모르겠다며 고민을 털어놓는다. 지금까지의 삶에서 유일하게 가졌던 목표를 상실한 직후 공황상태에 빠진다. 그리고 공황은 늘 그렇듯 필연적으로 불안을 야기한다. 나태하다는 자책, 지향점이 없다는 자괴, 바라는 것이 뭔지 모르겠다는 의문에 휩싸인다. 그러면서도 지금까지 그래왔던 것처럼 경쟁에서 이겨야 한다는 의무감은 더 강해진다. 이 모든 것이 합세하는 불안이 대학 1학년 말에 느끼는 불안의 본질이 아닐까 생각한다. 그리고 이러한 불안은 졸업 때까지 지속된다.

그러나 너무 괴로워 말라. 이 불안을 동력으로, 그대는 때로 우연에 기대라.

다만 오해 없기를. 우연에 기대라는 것은, 아무 계획이나 의지 없이 이리저리 시대의 흐름에 쓸려 다니라는 것이 아니다. 모든 것이 계획대로 되지 않는다고 좌절하지 말라는 것이다.

《새로운 미래가 온다》라는 책으로 유명한 미래학자 다니엘 핑크가 2009년 우리나라를 방문했을 때의 일이다. 어느 기자가 한국의 젊은이들에게 해주고 싶은 조언을 부탁했다. 그러자 그는 이렇게 답했다.

"계획을 세우지 마라."

아니, 미래학자가 계획을 세우지 말라고 충고하다니? 기자가 어리둥절해하자, 그는 이렇게 설명했다.

"스무 살에 이걸 하고 다음에는 저걸 하고, 하는 식의 계획은 내가 볼 때 완전히 난센스다. 완벽한 쓰레기다. 그대로 될 리가 없다. 세상은 복잡하고 너무 빨리 변해서 절대 예상대로 되지 않는다. 대신 뭔가 새로운 것을 배우고 뭔가 새로운 것을 시도해보라. 그래서 멋진 실수를 해보라. 실수는 자산이다. 대신 어리석은 실수를 반복하지 말고, 멋진 실수를 통해 배워라." (註 : '세계적 미래학자 3인이 보는 '메가 트렌드'', 조선일보 위클리비즈, 2009. 4. 4. C4면.)

멋진 실수를 해보라. 실수는 자산이다. 다니엘 핑크의 조언대로 '멋진 실수'를 계속하며 거기에서 무엇인가를 끊임없이 배워나가야 한다. 중요한 것은 실수를 하지 않는 것이 아니라, 어리석은 실수를 반복하지 않는 것이다. 실수로부터 배우고, 그로부터 한 뼘씩 성장하는 자신을 만들어가야 한다. 그것이 우연에 기대는 참된 방법이리라.

내 삶도 돌이켜보면, 시인의 표현대로 '우연에 기댈 때도 있었다.'

지금 와서 생각해보면, 그 시절 그렇게 조급하지 않아도 괜찮았다. 목표를 상실한 나를 자책하거나, 그 목표에 조금도 다가서지 못하는 무력을 반성하기 전에, 내가 가진 가능성을 그저 믿었어도 좋았을걸. 내 동료와 선생님과 함께 버틸 수 있다면, 나는 충분히 자격 있다고 의제(擬制)해도 좋았을걸. 그걸 이제야 알겠다.

이제 그대들에게 선배로서 말한다. 자신의 잠재력을 믿어다오. 명징한 목표가 서지 않거나, 혹은 그것이 다소 흔들리더라도 스스로에 대한 믿음을 버리지 말아다오. 그래서 손쉽게 목표가 보이는 고시니, 자격증이니, 스펙이니 하는 것에 너무 쉽게 그대의 무한한 가능성을 함몰시키지 말아다오.

잠시라도 삶의 치밀한 계획에 여백을 두고, 다소 우연에 기댈 수는 없겠는가? 나는 나이고, 그러므로 시간의 우연에 잠시 나를 맡긴다 하더라도 치밀하게 계획된 목표를 향해 달리는 것보다 더 큰 성취를 이룰 가능성을 가지고 있음을, 그대는 그렇게 스스로를 믿어줄 수 없겠는가 말이다.

# 그대 그리고 고시 :
## 안정에 성급히 삶을 걸지 마라

누구나 전문직을 선호한다. 일정한 자격을 갖추어야 한다는 필터가 있기에 경쟁이 덜 치열하고, 상대적으로 고소득을 올릴 수 있으면서 안정적이기 때문이다. 일반 회사에 취업하는 것도 어렵고, 스스로 사업을 일으키는 것은 더욱 힘든 현실에서, 전문자격을 취득하는 것은 젊은이들이 가장 쉽게 선택하는 대안이다. 그래서 학원과 도서관은 이를 위해 준비하는 이들로 가득하다.

이렇듯 많은 이들이 전공을 불문하고 의학·치의학·법학 전문대학원 입학시험을 비롯해 공무원 시험과 교사 자격을 비롯한 각종 자격고시(편의상 모두 '고시'라고 부르자)에 몰두하는 것이 어제오늘의 일은 아니다. 취업이나 자격 취득에 도움이 되는 강의는 학생들로 넘치고 도서관은 수험서로 가득 차는 반면, 취업이나 자격 취득에 도움이 안 되는 학회나 동아리 같은 학교생활은 황폐해지고 전공강의는 텅 비어 있다. 사정은 학교 밖에서도 비슷하다. 직장인들도 제2의 인생을 도모하며 학원으로 발길을 돌리는 경우가 드물지 않다.

고시를 치르지 말라고 설득하려는 것은 아니다. '나는 왜 이 시험을 치르려고 하는가?'에 대해 스스로 확실히 납득하고 시작했으면 좋겠다는 말을 하고 싶은 것이다. 시험을 준비하는 자기 스스로의 동기부여가 확실하다면, 학습의 효과도 크고 합격도 빨리 할 수 있을 것이다.

하지만 솔직히 말하자면 이 글을 쓰는 진짜 이유는 다른 데 있다. 다른 분야에서 더 큰 성취를 이룰 가능성을 가진 인재들이 별 고민 없이 고시로 함몰해버리는 데 대한 안타까움 때문이다.

학생들을 지도하다 보면, 다소 장래가 불확실하더라도 자기 적성을 살려 학자가 되거나, 사업을 하거나 또는 자신만의 직업을 가진다면 크게 성공할 수 있겠다는 가능성이 보이는 재목들을 종종 만난다. 하지만 이런 친구들의 절반 이상이 3, 4학년이 되면서 고시나 전문대학원을 준비한다고 학원으로 잠적해버린다. 아쉽기 그지없다. 국가적으로도 낭비고 개인으로도 손해다. 이 글은 그런 친구들을 위해 썼다. 그대가 고시와 전문대학원 입학을 준비하려 한다면, 그 전에 이 글을 한번 읽어주었으면 좋겠다.

## I

### 단지 마땅한 대안이 없다거나,<br>막연한 불안감 때문에 시험 준비를 시작하지는 말라

20대는 불안하다. 무엇보다도 평생의 진로를 결정하는 시기다. 어찌 불안하지 않을 수 있겠는가? 그대들의 불안은 이처럼 당연한 것인데도, 많은 이들이 그걸 당연하게 받아들이지 못하는 것 같다.

물론 쉬운 일은 아니지만, 이 집요한 불안이 청춘 때는 매우 자연스러운 것임을 받아들여야 한다. 문제는 불안함의 존재 자체보다는 그 불안을 받아들이지 못하고 너무 조급하게 해결하려는 데서 시작된다.

고시 합격, 자격증 취득, 전문대학원 입학은 사회적 승인, 직업의 결정, 경제적 자립, 군 입대, 심지어 결혼과도 같은 숱한 불안의 근원적 문제들을 한 번에 해결해주리라 보장하는 것 '처럼' 보인다. 그래서 대학에만 가면 모든 문제가 해결될 것이라고 믿었던 많은 청춘들이, 이번에는 전문자격만 따면 모든 문제가 풀릴 것이라고 손쉽게 가정해버린다.

그러나 자격고시에 도전하기로 마음먹는 것은, 역설적이게도 안이하고 나태한 결정일 수 있다. 왜 그럴까? 스스로는 나름 결의에 차서 시험 준비를 시작하기로 마음먹었다고 생각하겠지만 실상은 그게 아니다. 자기 가능성에 대한 치열한 고민을 포기하는 순간, 아주 쉽게 자기 형편에 맞는 시험 준비를 시작하게 되기 때문이다.

그대는 지금까지 평생(?)을 '시험공부'만 해왔다. 공부에 진절머리 난다고는 하지만, 내심 공부(실은 시험보기)하는 것이 제일 편해져버린 것이다. 사람과 관계를 이어가는 것도, 끈질기게 취업의 관문을 두드리는 것도, 공부하는 것과는 차원이 다른 '일하는 법'을 익히는 것도, 너무 어렵다. "공부가 제일 쉬웠어요."라는 말이 남의 얘기가 아니었던 것이다. 게다가 젊음의 모든 문제를 시험 준비로 환원시켜 버리고 나면, 그 아픔을 잠시 유예할 수 있다. 부모님이나 친구에게, 그리고 자신에게 그냥 노는 것이 아니라 '무언가 열심히 하고 있다'는 메시지도 줄 수 있다.

그래서 시험 준비란 겉으로는 매우 열심히 사는 것처럼 보이지만, 생의 전체적인 프레임에서 보면 문제를 유예하는 게으른 과정일 수도 있다.

전문자격을 취득하겠다는 각오를 다지기 전에, 한 번 더 자신의 가능성에 대해 심사숙고하라. 장래를 생각하면 막연하고 답답하고 불안하기는 한데, 다른 대안에 대해 솔직히 자신이 없다거나, 친구들은 시작했는데 나만 놀고 있다는 생각이 든다거나, 부모님과 주위 사람들에게 아무 일도 안 하고 논다는 말이 듣기 싫어서 시험 준비를 시작한다면, 다시 생각하라. 합격까지의 여정도 매우 고단해지고, 설령 합격하더라도 자신이 가지 않은 길에 대한 미련이 두고두고 남는다.

## 2

## 안정성과 고소득만을 기준으로 직업을 선택하지 말라

안정적으로 높은 소득을 올릴 수 있는 직업이 있다면, 누가 마다하겠는가? 그것도 먼 미래가 아니라 제법 빨리 그렇게 할 수 있다면 금상첨화이리라.

사실 전문직은 다른 직업에 비해 빨리 안정적으로 고소득을 누릴 수 있다고들 한다. 얼마 전까지만 해도 그랬다. 그러나 이제는 아니다. 공급이 과잉되면서, 자격증을 가졌다고 평생 먹고사는 시대는 막을 내리고 있다. 변호사의 수임료가 바닥을 모르고 내려가고, 문을 닫는 병원이 늘고 있다. 한마디로 말해서 전문자격을 획득했다고 고소득과 안정성이 당연하게 보장되던 시대는 끝난 것이다.

그러므로 고시에만 합격하면 모든 문제가 해결될 것이라는 생각으로 직업을 선택했다가는 나중에 크게 당황하게 된다. 안정성과 고소득만을 기준으로 장래를 생각해서는 안 된다. 훨씬 중요한 것을 고려해야 한다.

바로 일 자체의 즐거움이다.

어떤 직업이라도 좋으니 안정적으로 높은 소득을 올리는 것이 중요하다는 발상은, 사실 매우 소비중심적인 사고다. 모든 것의 가격이 확실한 오늘의 세상에서 마음껏 소비를 하기 위해서는 높은 소득을 올려야 한다. 또한 일 이외의 여유를 가질 수 있으려면 안정적이어야 한다. 그래서 양질의 소비를 위해서는 고소득과 안정성이 중요하다.

나도 인정한다. 소비의 질이 삶의 질로 연결되는 현실에서, 소비는 중요하다. 당연한 이야기다. 단, 그럼에도 불구하고 부인할 수 없는 한 가지 사실은, 소비의 질이 곧 삶의 질과 '등식'을 이루지는 않는다는 것이다.

우리의 삶은 일과 여가로 구성되어 있다. 일은 직업과, 여가는 소비와 관계가 깊다. 그러므로 우리가 진정으로 행복하기 위해서는 양질의 소비를 누리는 것은 절반에 지나지 않으며, 즐겁게 일할 수 있는 직업으로 나머지 절반을 채워야 한다는 사실을 깨달아야 한다.

더구나 양질의 소비가 반드시 행복을 보장하지도 않는다. 나는 소비자학자로서 수많은 소비자들과 인터뷰를 해왔다. 대부분의 사람에게 소비의 질이 곧 행복의 질은 결코 아니었다. 인생에서 우리에게 더 본질적 기쁨을 주는 것은 소비가 아니라 일이다. 좋아하는 일을 할 때의 성취감은 좋은 물건을 샀을 때의 즐거움보다 훨씬 더 가치 있다.

그래서 나는 학생들에게도 '변호사가 더 많이 벌까, 의사가 더 많이 벌까'를 고민하기에 앞서, 그 업(業)의 본질을 먼저 생각하라고 이야기한다. 무조건 이름 있는 대기업에 취업하는 것이 능사는 아니다. 사람을 만나는 것을 좋아하는 친구라면 일류기업의 연구소보다는 중견기업에서 마케팅이나 영업부문의 일을 하는 것이 훨씬 즐거울 것이다. 즐겁게 일을 하면 성과가 좋을 것이고, 성과가 좋으면 인정(승진과 보수)이 커질 것이다. 처음에는 초봉도 다소 낮고 안정성도 떨어질지 몰라도, 시간이 지나면서 그 차이는 없어진다. 적성에 맞고 즐겁게 할 수 있는 일이 종국에는 오히려 고소득과 안정성을 더 확실하게 보장할 수 있다.

그러므로 결코 당장의 안정성이나 높은 초봉에 현혹되어 직업을 선택하지 말라. 대신 그 일을 하는 즐거움을 기준으로 미래를 설계하라. 그 일을 얼마나 즐겁게 할 수 있는가를 기준으로 그대의 직업을 선택하라.

## 3

### 결정하기에 앞서 무엇을 해야 하는가?

직업을 결정하는 고민을 하기 전에, 먼저 인정해야 할 것이 있다. 불안이 성장의 참된 벗이라는 사실이다.

'불확실성 속에서 미래를 준비하는 시기', 이것이 바로 청춘의 정의다. 많은 성취들이 불안을 동인(動因)으로 하여 이루어졌다. 그러므로 자기 자신과 장래에 대한 불확실성을 "친구들도 다 하니까." "나도 시험이나 한번 보지 뭐." 하는 안이함으로 덮어버려 젊은 날의 성장통을 국소마취해서는 안 된다.

사실 고시만큼이나 매몰비용이 큰 작업도 없다. 세상에서 절대로 말릴 수 없는 세 부류는 마약하는 사람, 선거 나가는 사람, 그리고 고시 치르는 사람이라고 했다. 한두 해 응시해보고 안 되면 그만두겠다는 식의 발상은 정말로 위험하다. 한번 준비를 시작하면 그만두기 무척 힘들다. 낙방의 수렁에 빠져 소중한 청춘을 송두리째 날려버리는 이들을 너무나 많이 보아왔다. 그래서 나는 고시를 결심하기에 앞서 신중하게 고민하라고 몇 번이고 강조한다.

어떠한 막막함도 황금처럼 소중한 청춘의 해이와 나태를 감싸는 변명의 구실이 될 수 없다. 마찬가지로, 자신의 가능성에 대한 치열한 뒤돌아봄 없이 성급하게 고시에 함몰하는 것은 그대가 가진 무한한 가능성에 대한 무책임한 유기다.

늦은 가을이 되어야 가장 풍성한 과일을 수확할 수 있듯, 우리 인생의 열매를 거둘 시기는 아직 멀리 있다는 사실을 그대가 다시 새겼으면 좋겠다. 가슴 떨리는 불안을 연료로, 자신이 가장 하고 싶은 일, 자신이 가장 잘하는 일을 준비하며 하루하루를 밝혀 나갔으면 좋겠다. 그대의 자아를 실현하는 길이 의사나 공무원만은 아닐 터인즉.

치열하게 그대 자신에 침잠하라. 그대의 다른 가능성을 꼼꼼히 고민한 후 그것이 인생의 최선이라는 확신을 꼿꼿하게 세울 수 있을 때 비로소, 그때부터 고시를 시작하라. 조급해하지 말라. 그렇게 출발해도 전혀 늦지 않다.

# 아직 재테크 시작하지 마라

어느 유명한 개그맨의 인터뷰에서 읽었던 이야기다. 오랜 무명생활에 따른 경제적 어려움을 얘기하던 중에 기자가 이렇게 물었다.

"데뷔하자마자 적금을 드는 개그맨은 '뜨지' 못한다는 속설이 있다면서요?" 그러자 그는 "글쎄 말이에요. 그런 것 같더라고요."라는 취지의 답을 했다.

이 말이 사실이라면 참 신기한 일이다. 왜 신인 때 적금을 드는 개그맨은 뜨지 못할까? 다들 알다시피 적금은 매달 조금씩이라도 일정 금액을 아껴서 종잣돈을 만들 수 있는 가장 착실한 재테크 수단이다. 꼬박꼬박 적금을 붓는 사람이라면, 매우 성실하게 자기관리를 할 확률이 높다. 그런 사람이 왜 뜨지 못한다는 것일까?

꽤 오랫동안 궁리하다가 내린 결론은 '당연하다'는 것. 그 이유는 이렇다.

적금은 약간 무리해서 드는 것이 일반적이다. 조금 더 절약하면서 살겠다는 기특한 각오도 하고, 앞으로 수입이 좋아지리라는 막연한 예상도 하는 까닭이다. 하지만 그 불입액을 매달 꼬박꼬박 마련한다는 것은 아직 수입이 적은 사회생활 초년생, 특히 출연기회가 많지 않은 신인 개그맨에게는 쉬운 일이 아닐 것이다.

적금을 부어본 사람들은 안다, 한 번이라도 납입을 거를 수밖에 없을 때의 안타까움을. 월 납입액을 만들지 못하는 달이 자꾸 많아지면, 그 신인 개그맨은 어떤 생각을 하게 될까? 일단 종잣돈을 마련할 때까지는 좀 더 안정적으로 고정소득을 마련할 수 있는 방법을 찾게 될 것이다. 예컨대 '행사'를 자주 뛴다든지, 부업에 관심을 가진다든지…….

하지만 신인 개그맨 때는 종잣돈보다 연습과 아이디어가 더 중요하다. 그리고 아이디어를 짜고 연습을 하는 데에는 시간이 필요하다. 적금 부을 돈을 마련한다고 행사나 부업에 신경을 쏟는 신인 개그맨은 나중의 성공을 위한 자기투자에 시간을 할애할 수 없게 된다. 그러니 결국…… 뜰 수 없다.

이것이 내가 생각한, 적금 드는 신인 개그맨이 뜨지 못하는 이유다. 그에게 다소의 종잣돈보다 더욱 필요한 것은, 자기 미래에 대한 투자였다.

서점에 가보면 20대를 위한 재테크 서적이 지천이다. 대개는 빨리 종잣돈을 만들고, 일찍 재테크를 시작해야 한다는 내용이다. 그러기 위해 이런 상품이 좋고 저런 투자가 유망하다는 조언이 가득하다. 대학교마다 투자동아리 혹은 부자동아리가 가장 인기 있다. 물론 나도 배웠다. 1년이라도 일찍 시작하면 그것이 나중에는 엄청난 차이를 가져온다는 사실을 말이다. 복리(複利)는 힘이 세다.

하지만 나는 적어도 20대 초중반에는 재테크를 시작하지 않았으면 좋겠다고 생각한다. 특히 그대가 대학생이라면 더욱 그렇다. 앞서 말한 '적금 드는 개그맨'의 이야기를 떠올려보라. 이때는 종잣돈이 아니라 인생의 경쟁력을 비축해야 하는 시기다. 그 개그맨만 해도 그렇다. 월 납입에 허덕일 만큼 적은 수입으로 알량한 투자에 몰두하기보다는, 차라리 뜨고 나서 출연료가 제법 올랐을 때 재테크를 시작하는 편이 더 효율적이었을 것이다.

돈은 섹스와 비슷한 구석이 있다. 거기에만 몰두하게 만든다. 다른 것들은 시시해 보인다. 아무리 소액이더라도 한번 통장에 돈이 쌓이는 맛을 알고 나면, 장기적인 비전보다는 당장의 잔고에만 몰두하게 된다. 불확실한 미래는 시시하게 보인다.

요즘 진로를 상담하는 친구들의 경향을 보면, 많은 젊은이들이 불확실한 미래를 위해 자기 역량에 투자하기보다는 지금부터라도 차곡차곡 통장잔고를 불리는 것이 낫다고 여기는 것 같다.

하지만 이런 것을 고려해야 한다. 부모가 아주 부자가 아닌 한(그런 사람은 일찍 재테크를 시작할 필요도 없을 것이다), 20대가 만들 수 있는 종잣돈이란 사실 미미한 액수다. '코 묻은 돈' 아껴서 재테크 시작하기보다는, 차라리 다 써버려라.

물론 그 지출은 자신을 성장시킬 수 있는 것이어야 한다. 책을 사고, 여행을 떠나고, 무언가 배우는 데 써라. 나중에 정말 큰돈을 만들고 싶다면, 푼돈으로 몇 년 일찍 재테크를 시작하기보다는 '더 나은 나'를 만드는 데 돈을 써라. 궁극적으로 최고의 재테크는 나의 가치를 높여 높은 연봉을 받는 것임을 잊지 말라.

나는 서른다섯에야 첫 직업을 가지게 됐으니 그 전까지 재테크는 엄두도 내지 못했고, 그 후로도 월급이 적어서 이렇다 할 재테크를 하지는 않았다. 조금이나마 여윳돈이 생겨 소위 재테크라는 것을 시작한 것이 불과 몇 년 전의 일이다. 내 전공이 경제와 소비트렌드를 파악하는 일이라서 공부하는 의미로라도 소액의 투자나마 해야겠다는 생각에서였다.

재테크 성적은 그저 그랬다. 어떤 펀드는 반 토막이 났고, 어떤 펀드는 제법 돈이 불었다. 주식에서도 마찬가지다. 오른 종목도 있고 내린 종목도 있다. 재테크의 기본이 위험 분산이니까, 종합적으로 고려해보면 크게 실패한 것 같지도, 크게 성공적인 것 같지도 않다. 요즘에는 거의 재테크를 하지 않는다. 돈이 생기면 정기예금에 넣는 것이 고작이다.

내가 재테크를 그만둔 이유는 손실이 두려워져서가 아니다. 오히려 이익이 두려워져서다.

지금까지 가장 성공적인 투자는 3년 전쯤 구매한 금(金)이다. 안전자산이 유망할 것 같아서 예금형식의 금 상품을 샀는데, 현재 금값이 세계적으로 엄청나게 올랐다. 당시 경제위기로 다른 금융상품들이 원금까지 까먹은 것을 고려하면 대단한 성적이다.

그런데 사람 마음이란 게 간사해서, 이익을 볼수록 잘했다는 생각보다 아쉬운 마음이 더 커지더라. '분산투자를 하지 말고 금에다 올인했으면 지금쯤 훨씬 더 불었을 텐데……' 하는 생각이 강해졌던 것이다.

아직 재테크 시작하지 마라.
대신 꿈꾸기를 시작하라.
오히려 한 달에 한 가지라도
'전혀 돈이 되지 않을 일'을 찾아
시도해보라.

나는 이제 더 이상 투자를 하지 않는다. 금리가 역대 최저 수준인 지금도 여윳돈이 생기면 그냥 정기예금에 넣는다. '금 같은 투자처가 또 어디 없을까?' 하고 관심을 자꾸 그쪽에만 쏟는 나를 발견하고 나서부터다. 투자로 돈을 버는 것이 내 일 하는 재미를 빼앗아간다는 생각을 하게 됐기 때문이다. 실리적으로도 그렇다. 재테크에 쏟는 열정과 시간을 연구와 집필에 쏟으면 오히려 그것이 투자이익 몇 푼보다 훨씬 더 큰 이익을 가져다준다는 사실을 망각했던 것이다.

다른 사람들도 사정은 다르지 않다. 만약 일반 직장인이 10년 동안 월급으로 재테크를 해서 복리든, 주식이든 했다고 치자. 몇 퍼센트의 수익률을 낼 수 있을까? 가장 성공적인 경우라 할지라도 고작 10배 수일 것이다. 하지만 정작 10년 뒤 그의 사회적 위치는 어떨까? 재테크를 하기 위해 본업은 뒷전인 채 동분서주하고 다녔다면 아마도 십중팔구 직장에서 퇴출당하거나 겨우 자리보존하는 처지밖에 되지 않을 것이다. 반면 자신의 일에서 프로가 되기 위해 부지런히 역량을 갈고닦은 사람의 경우라면 어떨까? 남들보다 연봉 서너 배는 받기 시작할 것이고, 그 간극은 해가 쌓일수록 점점 더 벌어질 것이다. 그 후 남은 20~30년은 과연 누가 더 많은 부를 쌓을 수 있을까? 그리고 사회적 위치와 성취, 행복감은 과연 누가 더 높을 것인가? 실제로 계산해보라, 어느 것이 이익인지, 그리고 어느 편이 더 행복할지.

이제 나는 내 투자실력보다 본연의 실력이 종국에는 나를 훨씬 더 큰 부자로 만들어줄 것이라는 믿음을 놓지 않으려고 한다. 나의 실력에 투자하는 것이 가장 확실한 재테크다.

그대는 매우 젊다. 아직 재테크 시작하지 마라. 대신 꿈꾸기를 시작하라. 오히려 한 달에 한 가지라도 '전혀 돈이 되지 않을 일'을 찾아 시도해보라. 펀드가 아니라 꿈을 이룰 그대의 역량에 투자하라.

진정으로 원하는 것을 이룰 수 있다면, 몇 해쯤은 수입 한 푼 없더라도 견뎌보겠다는 각오를 차곡차곡 불입하라. 그것이야말로 청춘의 진정한 '적금'이 아니겠는가?

# 걸음을 멈추고 돌아보라

길을 가다가 보니, 나무꾼이 나무를 베고 있었다. 땀을 뻘뻘 흘리면서 열심히 톱질을 하고 있었지만 나무는 끄떡도 안 했다. 왜 그럴까 자세히 들여다보니 톱날이 다 무뎌져서 아무리 열심히 노력해도 전혀 쓸리지 않았던 것이다. 그래서 말했다. "이봐요, 나무꾼 아저씨! 잠깐 쉬면서 땀도 좀 닦고, 그 톱날도 날카롭게 벼리면 훨씬 쉽게 벨 수 있을 텐데요."

그러자 나무꾼은 쳐다보지도 않고 손을 내저으며 대답했다. "괜히 말시키지 말고 저리 가요. 지금 그럴 틈이 어디 있소? 오늘 이 나무를 다 베어야 해서 정신이 하나도 없구먼……. 지금 너무너무 바쁘니까, 남의 일 방해하지 말고 가던 길이나 가쇼."

누가 저러랴 싶겠지만, 주위를 둘러보면 이 나무꾼처럼 행동하는 이들이 의외로 아주 많다. 자기 톱날이 얼마나 무딘지는 모른 채, 왜 나무가 쓰러지지 않는지 이해하지 못하는 것이다. 대개는 자기가 성실하지 못해서, 열심히 노력하지 않아서 그렇다고 자책하고, 더 열심히 톱질을 한다.

"내게 나무를 벨 시간이 여덟 시간 주어진다면, 그중 여섯 시간은 도끼를 가는 데 쓰겠다."

에이브러햄 링컨은 이렇게 말했다고 한다. 그렇다. 모든 일을 하기에 앞서 '왜 이 일을 해야 하는지' 목표의식을 확고히 해야 한다. '무조건 열심히 하겠다'고 덤빌 게 아니라 그 일을 생산적으로 수행하기 위한 역량을 먼저 길러야 한다. 또한 그 이후로도 자신의 방법론이 올바른지 수시로 돌아보는 시간이 꼭 필요하다. 걸레가 더러우면 청소를 열심히 할수록 집은 더 더러워지는 법이다.

젊은 그대들에게 부족한 것은 스펙이나 학점, 자격요건이 아니라 자신에 대한 성찰이라는 사실을 절감한다. 좋은 학점과 어학점수, 다양한 인턴과 연수 경험을 쌓느라 정신없이 바쁘면서도 정작 자신의 공부방법이나 시간을 활용하는 태도와 방법은 적절한지, 그리고 자기가 무엇을 위해 그 스펙을 만들고 있는지에 대해서는 별 생각이 없는 이들이 의외로 많다. 많은 이들이 친구들이 다 하니까, 부모님이 권해서, 그냥 놀자니 뭐라도 해야 할 것 같아서 각종 공모전을 준비하고, 시험을 치르고, 연수를 떠난다.

확고한 목표의식과 적절한 방법론을 갖추지 못하면 어떤 노력도 시간낭비에 지나지 않는다. 나는 진정한 성취란 확고한 목표, 적절한 방법론, 성실한 실천의 세 가지가 어우러졌을 때 비로소 가능하다고 생각한다. 그런데 많은 이들이 앞서 등장한 나무꾼처럼 '목표'와 '방법론'은 당연한 것으로 여겨 더 이상 생각하지 않고, '실천'의 성실성만을 문제 삼는다.

이것은 하나의 타성이다. 스스로를 돌아보는 데 게으른, 부지런한 나태다. 자기성찰이 없으면 잘못된 목표를 향해 맹목적으로 돌진하거나, 잘못된 방식으로 헛된 노고를 계속하게 된다.

그렇다면 자기성찰은 어떻게 해야 하는가?

성찰이란 '생각하다'라는 뜻을 가지고 있기 때문에, 많은 사람들이 그냥 곰곰이 생각하면 된다고 여기는 것 같다. 하지만 단지 생각하거나 고민하는 것만으로는 성찰이 이루어지지 않는다. 더 중요한 것은 경험이다. 그러니 직접 체험하고, 많은 책을 읽고, 대화를 나누고, 여행을 떠나라.

체험만큼 인간을 성숙하게 하는 것은 없다. 특히 감수성이 민감한 청춘 시절에 쌓는 체험이란 무척 소중한 것이다. 자기를 돌아보는 데 이만 한 게 없다. 그러니 할 수 있는 한 다양한 체험을 해보려고 노력하라. 그것이 비난받을 행동이거나 지나치게 그대의 시간과 노력을 소모하는 것이 아니라면 말이다. '젊어서 고생은 사서도 한다'는 속담은 괜히 생겨난 게 아니다.

그러나 시간이나 여건 때문에 모든 것을 직접 체험하기란 사실 불가능하다. 그래서 우리는 읽는다. 책에서, 신문에서, 잡지에서, 우리는 성공하고 실패한 사람들의 이야기를 읽는다. 인터뷰나 체험담처럼 실제 상황이든, 소설처럼 가상의 설정이든, 세상의 이야기들은 우리에게 간접적인 경험을 가능하게 해준다. 그러므로 읽을 것. 다양한 이야기를 많이 읽을 것. 그리고 자신에 대해 생각할 것.

대화는 독서만큼이나 유익한 경험의 통로다. 특히 자기보다 많은 경험을 쌓았거나 통찰력을 갖춘 사람과 나누는 대화는 커다란 깨달음을 준다. 학교에서 학생들을 가만히 살펴보면 예상 외로 대화에 인색하다. 그들은 대화를 많이 한다고 생각하겠지만, 주로 편한 친구나 가까운 학교선배와 '얘기'만 한다. 물론 이들과는 함께 겪는 어려움을 공감한다는 즐거움을 얻을 수 있겠지만, 같은 미로에서 함께 헤매는 경우가 많아서 자기성찰에 이르게 하는 혜안을 얻기는 부족하다고 생각한다. 선배란 '같은 어둠 속을 조금 앞에서 헤매는 사람'이라 하지 않는가.

그보다는 좋은 멘토를 찾아라. 친구나 선배도 좋지만, 보다 더 풍성한 경험을 나눈 대선배인 선생, 어른들과 만날 기회를 자주 만들어 깊이 있는 대화를 나누어보라. 아프리카 속담에 '죽어가는 노인은 불타고 있는 도서관과 같다'고 하지 않던가.

여행 또한 아주 좋은 계기다. 여러 나라를 여행하며 도시경쟁력을 연구하는 리드앤리더의 김민주 대표는 "여행이란 사회적 임사(臨死, 죽음을 경험하는 것) 체험이다."라고 했다. 생각할수록 좋은 비유다. 그렇다. 여행은 어느 면에서는 죽음과 유사하다. 여행을 떠나버리면, 내가 있던 곳의 사람들에게 나는 '없는 사람', 즉 죽은 사람이 된다. 여행은 자신의 부재가 나의 지인과 공동체에 어떤 의미였나를 생각할 수 있는 좋은 계기가 된다.

여행을 떠나 차창 밖으로 지나가는 낯선 풍경을 바라보다가, 문득 서울에서 허덕이는 내 자신을 발견할 때가 있다. 잘한 일, 잘못한 일, 평소에는 덮어두었던 내 적나라한 모습이 선명하게 떠올라서 소스라치게 놀라곤 한다. 사람이란 객지에서야 비로소 자신을 객관적으로 볼 수 있게 되는 모양이다.

여행이 또 좋은 것은, 내가 무척 당연하다고 여겼던 일들이 사실은 전혀 당연한 것이 아님을 느끼게 해주기 때문이다. 특히 외국에 갔을 때 더욱 그렇다. 전혀 다른 가치관을 가지고 살아가는 사람들의 모습을 보면, 근본적인 의문이 든다.

"나는 무엇을 위해 이렇게 열심히 살아왔는가?"

이렇듯 어떠한 편견이나 전제 없이, 오래도록 품어왔던 그대의 가치관에 의문을 제기할 수 있는 기회를, 여행은 준다.

그러니 카메라와 휴대폰은 서랍 속에 넣어두고, 자주 여행을 떠나라. 관광가이드 책에 나오는 명승지만 찾아 사진 찍으러 돌아다니는 여행이 아니라 그대 자신을 만나러 떠나는, 그런 여행 말이다.

목표, 방법론, 실천.

세속적 의미의 성공이든, 자신만이 가지고 있는 꿈이든, 인생에서 무언가를 이루기 위해서는 이 세 요소가 하나가 되어야 한다. 목표가 없으면 무의미하며, 방법론이 옳지 않으면 비효율적이고, 실천하지 않으면 이룰 수 없다. 어느 하나라도 모자라면 인생은 한 다리가 짧은 삼각대처럼 힘없이 무너진다.

늘 이 셋의 균형을 맞추기 위해서는 끊임없이 스스로를 돌아봐야 한다. 이 삼각형의 중심점에 자기성찰이 있는 것이다.

때로 걸음을 멈추어보라. 그리고 진지한 눈빛으로 자신을 돌아보라. 자신과의 냉철한 대면이 주기적으로 이루어지지 않는 무조건적인 성실이란, 또 그런 인생이란, 무딘 톱날처럼 얼마나 밋밋할 것인가?

# 부러워하지 않으면, 그게 지는 거다

블로그나 미니홈피를 다니다 보면, "부러우면 지는 거다!"라는 표현을 가끔 본다. "네가 이룬 것은 인정하지만, 그건 내 삶의 방식과는 다른 성취이므로, 그닥 내가 부러울 것은 없어."라는 의미일 것이다. 너는 너고 나는 나니까, 부러워하지 않겠다는 요즘 세대의 쿨한 감성을 대변하는 말이라고 생각한다.

하지만 어떤 때에는 이 말에 묘한 '감정'이 섞여 있는 걸 느낀다. '여우의 신 포도'처럼 말이다. 어느 여우가 길을 가다가 탐스러운 포도를 발견했는데, 아무리 노력을 해도 먹을 수 없으니까 "저 포도는 분명히 시어서 못 먹을 거야!" 하고 스스로를 위안했다고 이솝 우화는 전한다.

가질 수 없는 것에 대한 자기합리화를 이야기할 때 흔히 드는 예화다.

자기합리화만 돼도 좋다. 하지만 이 말에 질투의 감정이 섞여 있다면 얘기가 다르다. 좋지 않다. 애써 남의 성취를 깎아내리는 비겁함이 건강하지 못하고, 그것을 건강한 자기성장을 위한 자극으로 활용하지 못하기 때문이다.

자기보다 잘난 (혹은 잘나 보이는) 사람에게 대처하는 방법은 크게 두 가지로 나눌 수 있다. 질투하거나, 아니면 선망하거나.

질투와 선망의 구별은 상대의 성취를 깎아내릴 것인가, 있는 그대로 인정해줄 것인가에 있다. "분명 부모를 잘 만나서 저렇게 된 거야." 또는 "뭔가 부정한 방법을 동원했을 거야." 하는 식의 전제가 끼어들어 상대의 성공을 인정하지 못할 때, 우리는 그것을 질투라 부른다. 우리 사회에서 자주 하는 '사촌이 땅을 사면 배가 아프다'든지, '배고픈 것은 참아도 배 아픈 것은 못 참는다'든지 하는 말도 모두 질투심의 발로다.

물론 우리나라 사람들의 질투심이 강한 것은 민족성이 못돼서는 아니다. 급격한 근대화의 과정에서 부당한 방법을 써서, 혹은 어쩌다 운이 좋아서 성공을 이룬 사람이 너무 많았다. 그 때문에 이른바 '성취에 대한 승복 가능성'이 낮아져서 생겨난 역사적이고 사회적인 산물이라고 생각한다. 하지만 이것은 질곡의 역사를 살아온 기성세대들의 얘기다. 가난과 독재의 트라우마를 겪지 않아도 되는 젊은 그대들은 다르다. 달라야 한다.

한국 사회에서 질투심의 형성과정이 어땠든 간에, 나는 그대들이 질투라는 감정으로부터 자유로웠으면 좋겠다. 자기 자신에게 생산적이지 않기 때문이다. 질투를 왜 하는가? 상대의 성공요인을 운이나 부정처럼 통제 불가능한 것에 돌림으로써 성취를 깎아내리고 나면, 스스로의 반성이나 분발을 일깨우는 불편한 심리적 과정을 겪지 않아도 되기 때문이다. 그러면 마음은 편할지 모른다. 하지만 거기까지다. 자기를 돌아보는 작업이 생략되면서, 자신에게 주는 자극은 자리할 곳을 잃는다. 그래서 "부러우면 지는 거다!"라는 말은, 결국 순간의 작은 자기위안에 그치고 말 우려가 있다.

경쟁이 끝을 모르고 치열해진 세상이다. 우리 눈에는 이긴 사람들이 휘날리는 승전기만 보이지만, 실상 항상 이기는 사람이란 없다. 누구나 조금씩 질 수밖에 없는 구조다.

그러므로 문제는 이번에 이겼느냐 졌느냐가 아니다. 이번 경험을 통해 내가 얼마나 성장했느냐가 중요하다. 그런데 조금 졌다고 상대의 승리를 인정하지 못하고 질투한다면, 그다음 경쟁에서도 결과는 뻔하다.

한때 '루저(loser)'라는 말이 자주 들렸다. 이제는 루저라는 표현이 시대의 금기어가 된 느낌이다. 물론 '너는 루저'라는 말에 발끈하지 않을 사람은 없을 것이다. 하지만 중요한 것은 열등감을 건드린 것에 불쾌해하는 데서 나아가 그것을 자기성취의 자극으로 삼는 일이다.

우리는 누구나 열등감을 가지고 산다. 누구는 외모에, 누구는 성장환경에, 누구는 이루지 못한 것들에 대해. 이처럼 그 근원이 다양한 만큼이나 그것을 다루는 사람들의 반응 또한 다양하다. 대개의 사람은 그 열등감을 감추려고 노력하고, 어떤 사람들은 그것을 잊거나 부정하며, 소수의 의지 강한 사람들은 그것을 극복하려고 애쓴다.

그대는 어느 쪽인가?

같은 조건이라면, 가벼운 배일수록 더 빠를 것 같다. 그런데 이상하게도 뱃사람들은 배 밑바닥에 '밑짐'이라 부르는 일정 무게의 짐을 항상 실어둔다. 밑짐이 든든한 배는 풍랑이 거센 때라도 큰 흔들림 없이 앞으로 나아갈 수 있기 때문이라고 한다.

그렇다면 우리, 열등감을 인생의 밑짐으로 삼고 살아가면 어떻겠는가? 감추거나 부정하려 하지 않고, 당당하게 자기성취의 동력으로 인정하고 살아가면 어떨까? 그럴 때, 열등감은 인생의 풍랑으로부터 우리를 지켜줄 것이다.

질투하는 대신 선망하라. 타인의 성취를 인정하라. 설령 그의 성공에 문제가 많아 보일지라도 그대는 오히려 그에게서 존중할 만한 점을 애써 찾아, 그것을 배워라.

한껏 부러워해라. 그래야 이길 수 있다.

다른 사람의 성취를 보고도 부러워하지 않는다면, 그게 오히려 지는 것이다.

그대에게 쓴 편지

# 슬럼프

그래, 자네가 요즘 슬럼프라고? 나태의 늪에서 좀처럼 헤어나기가 어렵다고? 그런 날들이 하루이틀 계속되면서 이제는 스스로가 미워질 만큼, 그런 독한 슬럼프에 빠져 있다고? 그래서 내 얘길 듣고 싶다고?

우선 하나 말해둘게. 나는 슬럼프란 말을 쓰지 않아. 대신 그냥 '게으름'이라고 하지. 슬럼프,라고 표현하면 왠지 자신을 속이는 것 같아서……. 지금부턴 그냥 게으름 혹은 나태라고 할게.

나는 늘 그랬어. 한 번도 관료제가 견고한 조직생활을 해본 적이 없었지. 하다못해 군대도 학교(육군제3사관학교)였다니까? 그렇게 거의 25년을 학생으로 살다가, 어느 날 다시 선생으로 위치를 바꾼 것이 다야.

복 받은 삶이지만, 어려운 점도 있어. 나를 내치는 상사가 없는 대신, 스스로를 관리하지 않으면 안 되는 게 내 삶이었거든. 그래서 늘 힘들었어, 나 자신을 꾸준히 관리해야 된다는 그 사실이. 평생을 두고 나는 '자기관리'라는 화두와 싸워왔어.

사람이 기계는 아니잖아. 감정적인 동요가 있거나, 육체적인 피로가 있거나, 아니면 다 제외하고라도, 그냥 어쩌다 보면 좀 게을러지고 싶고, 또 그런 마음은 오래가는 게 인지상정이잖아. 더군다나 교수라는 직업은 밖에서 점검해주는 사람이 없기 때문에 슬럼프, 아니 나태에 훨씬 쉽게 그리고 훨씬 깊게 빠져. 어떻게 아느냐고? 내가 자주 그렇다니까? 자네들에게 표현을 안 해서 그렇지.

난 나태란 관성의 문제라고 생각해. 자전거는 올라타서 첫 페달을 밟을 때까지가 제일 힘들지. 컴퓨터 켜기도, 자동차 시동 걸기도, 사는 것도 마찬가지야. 정지 상태에서 벗어나는 모멘텀을 줄 의지가, 머물러 있으려는 관성에 치여버리는 현상. 난 그것이 자네가 말하는 '슬럼프'의 합당한 정의라고 생각해.

그런데 문제는 말이야, 나태한 자신이 싫어진다고 말은 하면서도 그 게으른 일상에 익숙해져서 그걸 즐기고 있단 말이지. '슬럼프'에서 벗어나고 싶다고 말하면서도, 실은 그걸 즐기고 있단 말이지. 실은 자네도 슬럼프를, 아니 오랜만의 연속된 나태를 즐기고 있는 거라면 이 글을 여기까지만 읽어. 딱 여기까지만 읽을 사람을 위해 덕담까지 한마디 해줄게. "슬럼프란 더 생산적인 내일을 위한 재충전의 기간이다." 됐지? 잘 가.

사실, 이 덕담은 거짓말이야. 너무 오래 나태하면 안 돼. 자아가 부패하거든, 그러면 네 아름다운 육신과 영혼이 슬퍼지거든, 그러면 너무 아깝거든. 그러니 슬럼프, 아니 나태에서 '정말' 벗어나겠다고 스스로 각오해. 그런 다음 이제 우리 이야기를 나눠보자.

보통 '슬럼프' 상태에서는 정신이 확 드는 외부적 자극이 자신을 다시 바로잡아주기를 기다리게 되지. 어떤 강력한 사건이나, 친구나 선배의 따끔한 한마디, 혹은 소주를 진탕 마신 뒤 어슴푸레한 새벽 숙취 속에서 느끼는 어떤 깨달음 같은 것이라도……. 그런 걸 느낄 때까지는 자신의 게으름에 대한 자학을 유보하려 하지.

내가 한마디만 할까? 그런 자극은 없어. 아니, 어쩌면 늘 있어.

정말 중요한 것은 결국 자신이란 말이야. 그 자극을 자극으로 받아들이고, 그걸 생활의 실천으로 옮기는 스스로의 노력이 없으면 그런 자극이 백번 있어도 아무 소용없단 말이야. 정말 나태에서 벗어날 참이면 코끝에 스치는 바람에도 삶의 의욕을 찾고, 그러지 않을 참이면 옆에 벼락이 떨어져도 늘 같은 상태라니까?

나도 자네만 할 때는 말이지, 가을이면, 특히 11월이면 감상적이 되고 우울해지고 많이 그랬거든? '자 11월이다, 감상적일 때다!' 하고 자기암시를 주기도 하고……. 그래놓고는 그 감정을 해소한다고 술도 마시고, 음악을 듣고…… 그러면 더 감상적이 되고……. 지금 생각해보면 그걸 은근히 즐겼어. 딱지가 막 앉은 생채기를 톡톡 건드리면 따끔따끔 아프지만 재미있잖아? 내 젊은 날의 버거움이란 그런 딱지 같은 거였나 봐.

나도 철이 들었나 보지? 차츰 해결법을 찾았어. 감정은 육체의 버릇이라는 걸 깨닫게 된 거지. 햇볕을 지나치게 덜 쪼였다거나, 운동량이 부족했다거나, 술이나 담배를 많이 했다거나……. 난 정말 감정에서 자유롭고 싶을 때는 5km 정도를 달려. 술은 오히려 되도록 적게 마시지, 몸이 아니라 마음을 위해서. 그리고 무엇보다 일을 해. 꽤 효과 있어.

나아가 육체의 버릇보다 더 근원적인 건, '목표'의 문제야. 나태는 목표가 흐려질 때 자주 찾아오거든. 선생님 같은 나이에 무슨 새로운 목표가 있겠니? 내 목표란 '좋은 선생', 그리고 '좋은 학자'가 되는 건데, 그 '좋은' 이라는 게 무척 애매하거든. 목표는 원대할수록 좋지만, 너무 멀면 동인(動因)이 되기 힘들어. 그래서 나 같은 경우엔 더 작고 구체적인 목표를 세우지. 대개 일주일이나 한 달짜리 목표를.

슬럼프에서 벗어나고 싶어? '정말로' 원한다면 해결은 생각보다 쉬워. 시점을 짧게 두는 게 포인트야. 그래, 바로 '오늘' 해결하면 돼.

늘 '오늘'이 중요해. 오늘 할 일을 내일로 미루지 말라, 뭐 이런 차원이 아니야. 그냥 오늘 자전거의 첫 페달을 밟고 그걸로 만족하면 돼. 그런 오늘들이 무섭게 빠른 속도로 모이거든. 나태가 관성인 것처럼, 부지런함도 관성이 되거든.

사실은 선생님도 먼 나라에 혼자 떨어져서 요즘 감정적으로 무척 힘들어. 그래서 물리적인 생활을 무너뜨리지 않으려고 굉장히 노력해. 육체적인 것이 중요하다고 했잖아? 늦게 자지 않고, 일찍 일어나고, 술 마시지 않고, 햇빛 아래서 많이 움직이고 걷고 뛰고, 꼭 1시간은 색소폰 연습하고, 몇 글자라도 읽고, 3페이지 이상 글 쓰고……. 나는 잘 알거든. 이런 육체적인 것들이 무너지면 걷잡을 수 없이 나태 속으로 빠지게 되는 걸, 이미 여러 번 경험했거든.

힘 내. 얘기가 길어졌지? 내가 늘 그래. 대신 긴 설교를 요약해줄게. (선생님답지?)

일. 나태를 즐기지 마. 은근히 즐기고 있다면 대신 힘들다고 말하지 마.

이. 몸을 움직여. 운동하고, 사람을 만나고, 할 일을 해. 술 먹지 말고, 일찍 자.

삼. 그것이 무엇이든 오늘 해. 지금 하지 않는다면, 그건 네가 아직도 나태를 즐기고 있다는 증거야. 그럴 거면 더 이상 칭얼대지 마.

사. (마지막이야, 잘 들어!) 아무리 독한 슬픔과 슬럼프 속에서라도, 여전히 너는 너야. 조금 구겨졌다고 만 원이 천 원 되겠어? 자학하지 마, 그 어떤 경우에도, 절,대,로.

그거 알아? 모든 것은 흘러. 지나고 나면 이번 일도 무덤덤해질 거야. 하지만 말야, 그래도 이번 자네의 슬럼프는 좀 짧아지길 바라.

잘 자.

(아니, 아직 자지 마. 오늘 할 일이 있었잖아?)

# 바닥은
# 생각보다
# 깊지 않다

PART 2

# 시련은 나의 힘

B가 찾아왔다. 안 그래도 학기가 시작된 지 한 달이 넘었는데 얼굴을 보지 못해 궁금하던 차였다. 아니나 다를까, 좋지 않은 소식이다. 아버지 사업이 악화일로란다. 가재도구에 차압딱지가 붙고 채권자들이 행패를 부리는, 드라마에서나 보던 일들이 지난 몇 달 동안 B의 집에서 일어났다고 한다.

늘 시름 없고 해맑던 B의 얼굴에 그늘이 많이 졌다. 국외로 떠난 아버지와 몸져누운 어머니 대신 정신없이 뒤처리를 하다 보니, 하루가 어떻게 가는지 모르겠다고 한다. 안쓰럽다. 스물여섯 여학생이 감당하기에는 너무나 버거운 짐이다.

갑자기 1987년이 생각났다. 그 해, 그 즈음의 내가.

나는 스물다섯이었다. 6월이던가, 아주아주 건강하시던 아버지가 원인모를 어지럼으로 갑자기 입원하신 와중에, 멀리 시골에서 할머니가 돌아가셨다는 기별이 왔다. 아버지가 병석에 계셨으므로 당시 대학원 1학년이던 내가 대신 내려가 상주(喪主) 노릇을 했다.

대충 정리를 마치던 그 해 12월, 아버지가 폐암4기라서 도저히 소생 가능성이 없다는 선고를 받았다. 전혀 예상치 못한 충격에 몸을 가누지 못하고 있던 나날에, 거짓말처럼 이번엔 할아버지가 돌아가셨다는 기별을 받았다. 다시 내려가 한 번 더 상주를 했다. 그리고 이듬해 5월, 결국 아버지가 돌아가셨다. 또 상주를 했다.

…… 참 어려운 시기였다. 11개월 안에 상주 역할을 세 번 했다. 하지만 진정으로 내게 어려웠던 것은 초상을 세 번 치렀던 황망함이나, 돌아가신 아버지에 대한 애절함이 아니었다. 나는 맏아들이다. 그렇다. 나를 정말로 힘들게 했던 것은, 책임감이었다. 내가 혼자 처리해야만 했던 그 상황들이었다.

할아버지, 할머니, 아버지가 한꺼번에 돌아가시면서 법률적 문제가 무척 복잡해졌다. 법대를 다녔다고는 하나, 아무 경험도 없는 대학원생이 여러 가지 법적인 문제들을 해결하고 또 다양한 세금을 계산하고 신고하고 납부하는 건 보통 일이 아니었다. 어른이 된다는 건, 세금을 낸다는 거다. 나는 이때 이 사실을 깨달았다. 재산이 많은 건 아니었지만, 집안 어른들과 협의하여 상속재산을 정리하는 것도 여간 미묘하고 힘든 일이 아니었다.

아버지가 조금만 더 계셔서 약간만 정리를 해주셨어도 그렇게 힘들지는 않았으련만, 어린 나에게 그 모든 뒤처리는 참말로 새롭고 어렵고 또 힘든 일이었다. 하지만 여동생은 고3이었고, 남동생은 군복무 중이었다. 나는 그 모든 일을 새로 배워가면서 혼자 해결해야 했다. 지금 생각하면 잘못 처리한 일도 많지만, 아무튼 수습은 했다. 내가 책임지고 해야 할 일이었으니까, 나밖에 할 사람이 없었으니까. 만약 좌절에 빠져 내가 무너지면, 그 여파는 내가 사랑하는 많은 사람들에게 미칠 터이므로.

누군가 젊은 시절의 내가 어려움을 겪었기 때문에 지금의 성숙한 내가 있는 것이라고 말한다면, 나는 웃기지 말라고 말해주고 싶다. 성숙, 그런 거 안 해도 좋으니까 그런 어려움은 절대 다시 겪고 싶지 않다. 그런 시련일랑 나중에 조금 더 어른이 되어, 그런 종류의 문제를 처리할 수 있는 때가 됐을 때, 그때 맞아도 충분하니까.

이 글은 그날 내가 충분히 위로하고 격려해주지 못했던 B에게, 그리고 어쩌면 지금 감당하기 어려운 삶의 시련을 맞닥뜨리고 있는 그대에게, 그리고 지난날 힘겨워했던 나에게 쓰는 글이다.

지금 끝이 보이지 않는 어둠 속에서 힘들어하고 있겠지만, 명심하라. 그럼에도 시련은 그대를 강하게 만든다.

시오노 나나미의 《로마인 이야기》라는 책은 대학교수 공채에서 연이어 낙방하고 깊은 좌절에 빠졌던 나를 건져 올린 동아줄이었다. 그 책에 이런 구절이 나온다.

"로마를 로마로 만든 것은 시련이다. (중략) 전쟁에 이겼느냐 졌느냐보다 전쟁이 끝난 뒤에 무엇을 어떻게 했느냐에 따라 나라의 장래는 결정된다." (註 : 시오노 나나미, 《로마인 이야기》 2권, p. 67에서 인용함.)

중요한 것은 시련 자체의 냉혹함이 아니다. 그 시련을 대하는 나의 자세다. 그 시련이 가혹한지 아닌지를 가늠하는 것은 결국 오롯이 나다. 내가 힘들게 받아들이면 힘든 것이고, 내가 의연하게 받아들이면 별것 아닌 것이다. 그대는 지금 그대의 시련을 어떻게 받아들이고 있는가?

인생의 크나큰 시련을 지금 맞고 있다고 생각한다면, 그 친구들만을 위해 이야기해주고 싶다. 깊이를 모르겠는 그 시련이, 바로 그대의 힘이라고.

혹시나 듣기 좋은 말장난으로 치부할까 봐, 아까 하던 내 이야기를 이어서 조금 더 할까 한다.

1988년 초여름의 어느 날이 기억난다. 고시에 떨어지고, 입대영장은 나오고, 여자친구와도 헤어지고, 할아버지, 할머니, 아버지는 차례로 돌아가시고, 나도 몰랐던 집안의 모든 해묵은 문제가 한꺼번에 폭발하고…….

아무런 희망이 없던 그때 나는 주로 음악대학 앞 벤치에 앉아서 시간을 보냈다. 혼자 눈물을 뚝뚝 흘리고 있으면 멀리서 음대 학생들이 연습하는 소리가 들려왔는데, 그 소리가 참 위안이 됐다.

"으악으악~!"

"뿜뿜빰빰~!"

음대생들이 틀린 음정을 짚어가며 하는 연습소리가 들리면, '그래, 저 친구들이 지금은 저렇게 틀려도 언젠가는 훌륭한 음악가가 될 거야. 어쩌면 나도 그렇게 될지 모르지. 이 시기만 넘기면 내게도 그런 때가 올지도 몰라.' 하는 생각이 조금씩 들었다. 그래서였는지, 틀린 음정이 많이 나올수록 내게는 더 듣기 좋았다.

'신은 사랑하는 인간을 시련으로 단련시킨다'고 했다. 어느 날부터 나는 시련이야말로 인간이 가질 수 있는 가장 큰 축복이라고 생각하게 됐다. 왜냐하면 나를 강하게 만든 것은 시련의 힘이기 때문이다.

B여, 시련에 빠진 그대여, 그리고 어느 날의 나여.

축복이다. 시련이 있기에 그대가 있다. 금수저를 입에 물고 태어나 부모가 모든 일을 다 처리해주고 할 고민이라고는 사치스런 투정뿐인, 어려움 모르고 자라는 그들에 비하면 나는 얼마나 소중한 '경험의 상속'을 하고 있는가? 이 순간 지쳐 있는 힘든 그대는 언어의 유희라고 고개를 저을지 몰라도, 많은 사람들의 진솔한 경험에서 우러나온 명확한 진실이 여기에 있다.

시련은 그대의 힘이다.

# 바닥은 생각보다 깊지 않다

그대는 지금 어느 마른 우물 안에서 외줄을 잡고 대롱대롱 매달려 있다. 여기서 탈출하려면 줄을 타고 올라가야 하는데 도저히 그럴 힘이 없다. 올라가기는커녕 이대로 버틸 힘도 바닥난 상태다. 아래는 어두워서 바닥이 보이지 않는다. 이 줄을 놓치면 저 깊은 바닥 아래로 떨어져 온몸이 산산이 부서질 것 같다. 무섭다. 힘은 점점 빠져 오는데 여기서 탈출할 방법은 도무지 생각나지 않는다.

그대라면 어떻게 하겠는가? 물론 그대가 진짜 우물에 갇힐 일은 없겠지만, 인생을 살다 보면 종종 우물에 빠진 듯한 상황에 처한다. 출구도, 비상구도 보이지 않는 진퇴양난의 위기. 어떤 목표를 이루기는 너무

나도 벅차지만, 그렇다고 포기하기는 너무나 아쉽고 또 두려운 괴로움.

그대라면 어떻게 하겠는가?

나라면 이렇게 하겠다.

줄을 놓는다.

그렇다. 포기하고 줄을 놓는 것이다.

그러면 바닥으로 떨어질 것이다. 죽거나 크게 다치지 않겠느냐고? 그렇지 않다. 바닥이 보이지 않아 깊게 느껴졌을 뿐, 바닥은 생각보다 깊지 않다. 우물에서는 아닐 수도 있지만, 인생에서는 항상 그렇다. 우리는 겨우 30cm 정도 위에서 죽을 줄 알고 대롱대롱 매달려 있다. 항상 그렇다.

문제의 핵심은 바닥이 보이지 않는다는 데 있다. 깊은 바닥이 두려운 것이 아니라, 보이지 않는 바닥이 두려운 것이다.

정말로 포기하고 줄을 놓아보라. 생각보다 많이 다치지 않는다. 인생에서 온몸이 산산이 부서질 만큼 깊은 바닥이란 많지 않다. 그대가 정신만 똑바로 차리고 착지한다면.

줄을 놓은 후 발이 땅에 닿으면, '어, 생각보다 깊지 않잖아?' 하는 생각이 들 것이다. 잠시 쉬어라, 다시 밧줄을 잡고 밖으로 나갈 만큼 기운을 차릴 때까지. 혹시 가능하다면 어둠 속에서 연습도 좀 하라, 좀 더 쉽고 빠르게 올라갈 수 있도록. 충분히 밖으로 나갈 힘을 모았다고 생각되거든, 그때 다시 밧줄을 잡고 오르기 시작하라. 아마도 이번엔 중간에서 대롱대롱 매달리는 불상사 없이 탈출할 수 있을 것이다.

내가 고시 공부를 할 때다. 첫 해 맛보기(?)로 응시했던 행정고시에서 예상대로 낙방하고 나서, 본격적으로 공부를 시작하겠다며 마음이 맞는 대학동기들과 집 근처의 독서실을 찾았다. 그때 깜짝 놀랐다. 10년 넘게 고시를 치러온 선배들이 부지기수였기 때문이다. 그냥 '직업이 고시생'인 한심한 백수가 아니었다. 대부분 명문 대학을 졸업했으며 1차 시험도 몇 번 합격한 적이 있는데, 일이 꼬이다 보니 고시 생활이 후딱 10년을 넘어버린 것이었다.

그때 만난 이 선배들의 문제는, 방금 얘기한 우물의 딜레마였다. 타성에 젖은 공부방법과 연이은 실패로 합격의 자신감을 완전히 상실했으면서도, 막상 두렵고 또 아까워서 고시를 포기하지도 못하고 있었다. 더 안타까웠던 것은 특단의 '무언가'가 없는 한, 가까운 시일 내에 합격할 가능성이 커 보이지 않는다는 것이었다.

다행스럽게도, 그 형들은 비교적 젊은 수험생이었던 우리와 함께 공부를 다시 하면서 그 '무언가'를 찾은 것 같았다. 어떤 선배는 띠가 같은 후배와 함께 고시 공부를 하게 됐다는 사실에 자극 받아서 비로소 고시를 그만뒀다. 그제야 지금까지 인생을 얼마나 허비해왔는지 깨달았다고 했다. 나이가 많아 취직이 어려워 사업을 시작했는데, 지금은 제법 성공했다고 들었다. 또 다른 형은 우리의 새로운 교재와 공부 방법에 충격을 받았는지, 15년간 정리해오던 노트와 책을 전부 버렸다. 그러고는 심기일전해 새 교재와 공부 방법으로 처음부터 다시 시작한 끝에 합격의 영광을 누렸다. 지금은 변호사 활동을 활발하게 하고 있다.

밧줄을 놓고 나서야 어느 쪽으로든 답을 찾을 수 있었던 것이다.

같은 경험을 나도 했다. 행정고시에 처음 떨어진 후, 나는 제법 열심히 시험을 준비했다. 이듬해, 나름대로 1차 시험 정도는 합격할 거라고 예상했는데 보기 좋게 또 떨어지고 말았다. 그것도 아주 큰 점수 차이로. 지금은 담담히 말하지만 그때는 정말 상심이 컸다. 오래 사귀었던 여자친구와도 헤어져야 했고, 연기해온 군 입대도 곧 해야 했다. 다음해에는 합격할 수 있다는 자신감도, 과감히 포기하겠다는 용기도 갖지 못하고 어정쩡하게 보낸 1986년은 내게 참으로 어둡고 또 길었다.

하지만 나는 포기하지 못했다. 대학원에 진학해 입대를 연기하고 다시 고시 준비에 전념했다. 그다음 해 시험에서 또 낙방했다. 그러고 나서, 나는 밧줄을 놓았다.

어떤 이는 겨우 세 번 해보고 포기했느냐고 힐난할지도 모르겠다. 실제로 그때 내가 나 자신에게 그랬으니까. '겨우 이 정도 실패에 좌절할 만큼 나는 나약한가?' 하는 자책이 정말 집요하게 나를 괴롭혔다. 포기하는 것이 지속하는 것보다 어렵다는 것을 그때 절감했다. 어쩌면 도전보다도 더 큰 용기를 가지고, 겨우 밧줄을 놓았다.

함께 고시 공부하던 친구들을 동창회에서 만나면 나는 농담처럼 이야기한다. 그때 포기하지 않았더라면 아마 지금도 고시 공부하고 있을지도 모른다고……. 정말이다. 나는 전형적인 '우뇌형 인간'이다. 꼼꼼한 암기가 필요한 고시에는 전혀 맞지 않는 사람이다. 노력이 부족한 게 아니었던 것이다. 그런데 그때는 그걸 잘 몰랐다. 교수가 되고 나서 다른 일들을 하면서야 비로소 내가 정말 고시 체질이 아니라는 것을 알게 됐다. 지금도 내 인생에서 가장 잘한 결정은 그때 고시라는 밧줄을 놓았던 것이라고 생각한다.

고시를 때려치운 이후, 두려워했던 것보다 바닥은 깊지 않았다. 온몸이 부스러질 것이라고 예상했는데, 발목도 삐지 않았다. 몇 달 동안 삶의 여백을 가지면서 힘을 얻은 나는 무사히 석사장교를 마친 후 박사과정에 진학했고, 유학도 떠날 수 있게 됐다.

포기가 항상 비겁한 것은 아니다.
실낱같이 부여잡은 목표가
너무 벅차거든,
자신 있게 줄을 놓아라.
대신 스스로에 대한
믿음의 날개를 펼쳐라.

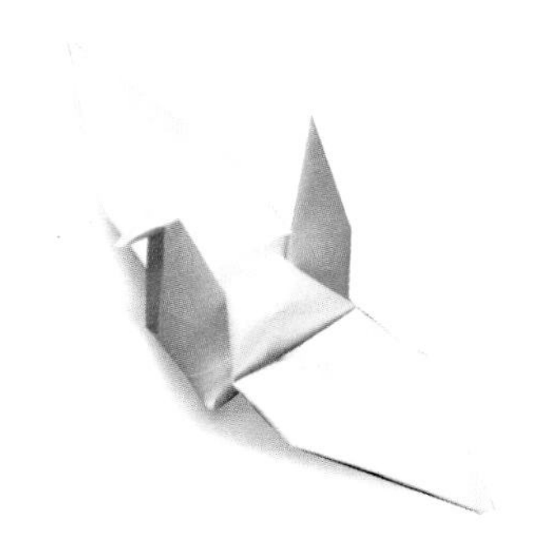

이 글을 읽는 그대가 고시생이든 아니든 그건 중요하지 않다. 다만 하나의 깨달음을 얻을 수 있었으면 좋겠다. 포기가 항상 비겁한 것만은 아니라는 것을, 불굴의 의지가 항상 통하는 것은 아니라는 것을.

개인적인 경험을 일반화하려는 것은 아니다. 너무나도 유명한 인터넷 만화가 강풀 씨는 처음에 만화잡지의 문을 숱하게 두드렸다가 번번이 거절당했다고 한다. 그 당시는 만화잡지가 아니면 만화를 발표할 매체가 없던 시절이었다. 연이은 실패 끝에 그는 인터넷 홈페이지를 통해 처음 만화를 발표했다고 한다. 그 이후 그가 얼마나 탁월한 성취를 보여줬는지는 그대가 더 잘 알 것이다. 그가 만화잡지의 줄만을 끝까지 붙잡았더라면 결코 이룰 수 없었을 성공이다.

추락을 지나치게 두려워하지 마라. 바닥은 생각보다 깊지 않다. 더구나 그대는 젊지 않은가? 어떤 추락의 상처도 추스르고 다시 일어날 수 있다. 너무 무서워하지 마라. 추락하는 것에는 날개가 있다고 했다.

자신 있게 줄을 놓아라.

스스로에 대한 믿음의 날개를 펼치고.

# 그 한 사람이 그대의 커다란 바다다

'어장관리'라는 말을 들어봤는가? 내가 젊었을 때에는 '팬클럽 관리'라고도 했는데, 그것이 '어장관리'로 바뀐 지 10년 정도 된 것 같다. 그냥 젊은이들 사이의 유행어려니 했는데, 꽤 일반화된 모양이다. 포털에서 검색해보니 엄청난 사례가 스크롤을 압박한다. '어장관리녀', '어장관리남' 등 연관검색어도 다양하고, 심지어 사전에도 나와 있다.

어장관리 : 실제로 사귀지는 않지만 마치 사귈 것처럼 친한 척하면서 자신의 주변 이성들을 동시에 관리하는 태도, 행태를 의미하는 신종 연애용어.

유심히 관찰해보면 어장관리하는 친구들이 꽤 되는 것 같다. 학생들과 이야기를 나누다가 느낌이 이상해서 한 친구에게 "너, 어장관리하지?" 하고 물으면 본인은 극구 아니라고 부인하는데, 옆에 있는 친구들이 빙글빙글 웃으며 놀린다. "맞아요, 선생님. 얘 완전 대박이에요!"

왜 어장관리를 할까? 가장 먼저 떠오르는 답은 '더 나은 상대가 나타날지도 모르니 특정한 한 사람에게 얽매이고 싶지 않다'는 것이 아닐까?

우리가 쇼핑을 하거나 수강신청을 할 때는 선택 가능한 대안을 물색한 후, 이들을 한꺼번에 주욱 늘어놓고 그중에서 고르게 된다. 이때 가장 중요한 것이 '어떤 속성 혹은 기준에 입각해 결정을 하느냐'이기 때문에, 이런 의사결정 방법을 '속성별 처리'라고도 한다. 속성별 처리의 장점은 여러 대안을 동시에 검토한 후 선택할 수 있다는 것이다.

하지만 이성친구를 선택할 때는 그렇게 하지 않는다. 특정한 시점에 마음에 드는 특정인을 두고, '그를 이성친구로 받아들이느냐 마느냐'를 결정한다. 여러 대안을 놓고 속성별로 비교하는 것이 아니라, 그 대안을 선택하느냐 하지 않느냐만 결정하기 때문에, 일종의 '대안별 처리'라 할 수 있다. 대안별 처리는 한 번에 하나의 안(案)에 대해서만 의사결정을 한다. 그리고 일단 채택하고 나면 그 이후에 더 좋은 대안이 나타나서 선택을 바꾸는 데 많은 비용과 노력이 든다.

그러니까 어장관리란 '대안별 선택'을 해야 하는 이성관계에서도 '속성별 선택'을 하겠다는 뜻이다. 이성친구를 선택하는 일을 마치 옷이나 가방을 쇼핑하는 것처럼 받아들인다는 것이다. 나는 현대 소비주의의 논리가 인간관계에도 일부 스며들어온 결과 가운데 하나가 어장관리라고 생각한다.

그런데 무척 아이러니한 사실은 복수의 대안 중에서 고르는 것이 단 하나의 대안을 놓고 고민하는 것보다 선택의 폭도 더 넓고 합리적일 것 같은데, 결과가 항상 그렇지는 않다는 점이다. 어장관리를 심하게 했던 친구가 정말 좋은 짝을 찾는 경우는 오히려 많이 보지 못했다. 내 주변에서도 사례가 제법 있었고, 학교에서 생활하면서 수많은 학생들을 십수 년째 관찰한 결과이니, 이에 대해서는 꽤 자신 있게 말할 수 있다. 긴 어장관리의 끝에 나온 선택이 형편없는 경우가, 많았다.

아는 사람 중에 A라는 여자가 있었다. 예쁘고 애교가 많아서 좋아하는 남자가 항상 주위에 많았다. 이 사람이 아주 오랫동안 어장관리를 했다. 항상 남자에게 잘해주고 단 둘이 만나서 영화도 보고 차도 마시고 그러다가, 상대방이 '사랑한다'고 고백하는 순간, 놀랍도록 냉정하게 확실한 대답을 주지 않으면서 일정한 거리를 유지했다. 그렇다고 해서

'싫으니까 그만 만나자' 하는 것도 아니었다. 그러면서 그 순간부터 다른 남자와 본격적으로 데이트를 시작했다. 새로 데이트를 시작한 남자와도 똑같은 일이 반복되고…….

이런 일이 10년 넘게 계속되니까 지친 남자들이 하나둘 떨어져나가기 시작했다. 그래도 A는 여전히 매력적이었기 때문에 주위에 남자는 늘 있었지만, 소위 '괜찮은' 남자는 A의 나이에 반비례해 줄어들었다. 혼기(婚期)가 지나니 주위에서 결혼하라는 말을 많이 했는데, 그때마다 A는 '지금 할 거면 예전에 훨씬 괜찮은 사람과 했을 것'이라고 응수했다. 결국 30대 후반에야 결혼한 A는 이내 이혼을 했고, 현재는 혼자 산다고 한다. 들리는 말에 의하면 지금도 어장을 가지고 있는 것 같다.

특정인의 사례를 일반화하려는 것은 아니다. 하지만 현상에 대한 설명은 필요하다고 생각한다. 왜 이런 역설이 성립할까? 다시 말해서, 관리하는 어장의 많은 대안 중에서 학벌이나, 외모나, 집안이나, 뭐 이런 '속성'들을 모두 고려한 후에 선택한 결과가, 그냥 누군가 한 사람 만났다가 사귀는 경우보다 왜 좋지 못할까?

답은 의외로 간단하다. 사람은 쇼핑하는 것이 아니기 때문이다. 인간관계는 쇼핑과 다르다. 인간관계란 좋은 파트너를 '선택'하는 일이 아니라, 좋은 파트너가 '되는' 일이다. 친구 사이에서도 그렇고, 연인 사이에서는 더욱 그렇다. 그런데도 사람들은 자꾸만 '믿지지 않는' 선택을 하려고 한다. 하지만 관계란 호혜적인 것이기 때문에 상대방도 믿지지 않겠다고 나오는 순간, 서로 행복할 수 있는 선택이 불가능해져 버린다.

어장관리는 한번 맺은 관계에 대해 책임을 지려고 하지 않고, 과거의 혹은 미래의 더 나은 대안에 대해 미련을 갖게 만든다. 그러니 관계의 깊이가 자꾸만 얕아지는 것이다. 종국에 가면 어장관리를 당하는 쪽이 아니라, 하는 쪽이 피해자가 된다.

어장관리를 하는 친구들의 또 한 가지 특징은 '사랑에 중독된' 이가 많다는 점이다. 그들은 자기를 좋아하는 사람이 많다는 사실에서 자아의 존재를 확인하려고 한다. 알코올 중독자가 술이 없는 상황을 두려워하듯, 그들은 아무도 자기를 사랑하지 않는 상황을 끔찍하게 생각한다. 그래서 한 사람이 떠나가도 누군가는 남아 있을 수 있도록, 어장 안에 되도록 많은 가능성을 가둬두려고 한다. 한 사람에게 많은 사랑을 받을 수 있을지 자신할 수 없어, 사랑해줄 것 같은 사람이 많음에 행복함을 느끼는 셈이다.

하지만 사랑은 선거가 아니다. '그냥 좀 아는 사람' 수백 명보다, 영혼을 기댈 수 있는 단 한 사람이 중요하다. 내가 그에게 무한한 몰입을 보일 때에야 비로소 그도 나에게 마음을 열고 책임을 지게 된다. 누군가를 '관리'할 수 있다고 믿는 것은 얼핏 보아 대단한 자신감 같지만, 실은 매우 비겁한 처사다. 자신을 내던져 사랑할 용기가 없는 것이므로.

만약 누군가가 자신을 어장관리하는 것이 아닌가 하는 느낌이 들거든, "나에 대해서 어떻게 생각하느냐?"고 당당히 물어라. 그리고 어장관리가 분명하거든, 가차 없이 떠나라. 사랑의 용기와 책임을 모르는 비겁한 상대와는 더 이상 미래가 없다.

혹시 그대가 어장관리를 하고 있다면(자신은 모를 수도 있다. 친한 동성친구의 지적이 정확하다) 헛된 꿈에서 빨리 깨어나라. 어장 안 물고기의 수가 많아질수록 그대 행복의 넓이는 더 좁아진다. 당장 어장의 가두리를 열고 다시는 얼씬도 하지 못하게 모두 쫓아버려라. 그리고 진심을 다해 사랑할 수 있는 단 한 사람을 생각하라.

그 한 사람이 그대의 커다란 바다다.

# 사랑 따윈 필요 없어 2.0

## I

"Love me like there's no tomorrow."

그룹 퀸(Queen)의 리드 싱어였던 프레디 머큐리가 불렀던 곡 중에 이런 제목의 노래가 있었다. 아마 젊은 그대들은 잘 모르는 곡이겠지만, 나는 지금도 이 노래를 들으면 공연히 가슴이 두근거린다. 마치 내일이 없는 것처럼, 그렇게 절실하게 우리는 사랑할 수 있을까…….

이제 '첫눈에 사랑에 빠졌다'는 말을 잘 믿지 않게 됐다. 내가 본 많은 젊은 친구들은 재고, 재고, 또 재고 나서, '이 정도면 믿지지 않겠다'

싶은 상대를 고르는 것 같다. 서로 첫눈에 반했다는 커플을 만나보아도 스펙이 비슷하다. '일단 일정한 최저 기준을 모두 충족하는 상대 중에서' 첫눈에 드는 상대를 비로소 찾았다는 말로 들린다. 내가 너무 비관적인가? 하긴 요즘 친구들, 옷 한 벌 살 때에도 그렇게 깐깐한데, 이성친구를 고를 때에는 오죽하랴.

트렌드 분석을 위해 신조어를 모으다가, '간장남'이라는 단어를 보게 됐다. 여성을 만날 때 계속 '간만 보는' (잇속을 따지는) 남자를 뜻하는 말이란다. 머릿속 계산기를 연방 두들기며 사랑을 나누겠다니! 생각만 해도 피곤하다.

요즘 사랑, 이기적이다. 계산적이다. 나이 든 사람의 주관적인 판단일지도 모르지만, 내가 보기에 한 10년 전부터 이런 현상이 부쩍 심해진 것 같다.

다 같이 못살았으니까 기득권이랄 게 없어서 그랬는지는 몰라도, 옛날에는 사회계층이나 학력을 뛰어넘는 사랑을 주위에서 심심치 않게 봤다. 하지만 요즘에는 그런 차이나는 커플을 도통 본 적이 없다. 과거보다 관대해진 것은 나이뿐이다. 연상녀 – 연하남 커플은 확실히 많아졌다.

'결혼정보회사'라는 개념도 나 같은 세대에게는 사실 조금 생소한데, 거기서 나오는 보도자료를 보면 당혹스럽기까지 하다. 예를 들면 이런 것이다. 혼인이 성사된 커플 933쌍을 분석하니, "여성의 인상(용모)을 5등급으로 나눴을 때, 그 등급이 1단계 상승하면 남편의 연봉이 324만 원씩 높아지더라."는 식의 통계조사다. (註 : '2005 결혼방정식', 중앙일보, 2005. 7. 22. W1면.) 여자 입장에서는 예쁠수록 연봉이 높은 남자를 만나고, 남자 입장에서는 돈을 많이 벌어야 예쁜 여자와 결혼할 수 있다는 의미다. 짐작은 하던 바이지만 용모와 연봉의 교환비율이 막상 통계로 나오니, 기분이 섬뜩하다. 그나마 이것도 2005년 기사이므로, 지금 조사하면 아마도 그 격차는 훨씬 커질 것이다.

더구나 요즘은 이전 세대보다 혼인연령이 매우 높아졌다. 이제 혼기니 뭐니 하는 것도 별로 중요하지 않은 이야기가 되어버렸다. 요즘 적어도 20대 초중반의 연애는 아직 결혼과 멀리 있다. 그렇다면, 이들의 연애관 변화는 매우 당황스러운 해석에 닿을 수밖에 없다. 굳이 결혼을 염두에 둔 것도 아닌데, 요즘 젊은이들은 매우 비슷한 조건의 파트너만 선택한다는 것이다.

물론 여러 가지 측면에서 공통점이 많은 만남에는 장점이 많다. 경제적, 문화적 차이도 줄일 수 있고, 취향도 비슷하니 좋을 테다. 부모님 보기에도 더 떳떳할 것이다. 그러나 아무리 그렇다고 하더라도, 요즘 사랑이 쇼핑이나 거래처럼 변하는 것만 같아 뒷맛이 씁쓸하다.

자, 그대와 나만의 비밀로 하고, 하나만 묻자. 그대는 이것저것 따지지 않고, 마치 내일이 없는 것처럼 사랑에 빠질 수 있는가? 나의 빈 곳을 채워줄 수 있는 숨 막히는 그 매력만으로, 아무것도 생각하지 않고 그를 사랑할 수 있는가?

나는 말하고 싶다. 청춘은 그럴 수 있다고, 적어도 청춘은 그래야 한다고.

사랑을 할 것이거든, 온몸을 던져 사랑하라. 무엇이 두려워서 그렇게도 이리저리 계산하는가? 연애감정은 청춘이 가질 수 있는 가장 강렬하고 원초적이고 순수한 감정이다. 그 감정을 경험하지 않고 어떻게 예술을 알고, 학문을 알고, 인생을 알려고 하는가? 젊은 그대가 해야 하는 수많은 경험 중에서, 역시 으뜸은 사랑이다. 다른 어느 글에선가 '내일이 이끄는 삶'을 살라고 말할 테지만, 사랑에서만큼은 예외다.

온몸을 던져 사랑하라. 마치 내일이 없는 것처럼 사랑하라.

## 2

150명가량 수강하는 대형 교양강의를 매 학기 진행하고 있다. 출석을 부르는 시간이 너무 길어서 요즘은 지정좌석제를 시행한다. 그러다

보니 연속해서 결석하는 학생은 금방 눈에 띈다. 항상 같은 자리가 비니까.

그들은 유명한 CC였다. 항상 손을 꼭 마주잡고 수업을 들었기에, 나도 첫눈에 알아봤다. 강의에 지장을 줄 정도는 아니었지만 수업 중에도 꽤 닭살스러운 짓을 종종 했기 때문에 (강단에 서면 학생들의 작은 행동도 생각보다 훨씬 잘 보인다) 그 많은 수강생 중에서도 그들은 내 눈에 띄었다.

그러던 어느 날부터 한 자리가 지속적으로 비기 시작했다. 그 유난했던 CC의 남학생 자리다. 수업에 들어오지 않는 것은 물론 시험도 치르지 않았는데, 어찌된 일인지 수강신청을 취소하지도 않아서 불가피하게 F가 나갔다.

이쯤에서 다들 눈치챘을 것이다. 둘 사이가 깨진 것이다. CC의 아픔이 이런 것이다. 함께 많은 생활을 같이할 수 있을 때는 좋았는데, 깨지고 나면 함께 듣는 수업조차 나올 수 없을 정도로 타격이 크다.

내가 걱정하는 것은 비단 그 친구가 F를 받아서가 아니다. 학점은 나중에 재수강하면 고칠 수 있다. 수업에도 나오지 못할진대, 그가 쌓아왔던 학교생활이 얼마나 송두리째 무너져 내렸을까, 그것이 걱정되는 것이다.

CC가 위험하다는 말을 하려고 이 얘기를 꺼낸 것은 아니다. 진짜 위험한 것은 CC냐 아니냐가 아니라, 사랑으로부터 얼마나 자기를 지키느냐다.

연애를 시작하면서 친구, 취미, 수업, 동아리 등 모든 자기 생활을 포기하고 이성친구와의 관계에만 몰두하는 경우를 자주 본다. 물론 '사랑하니까' 모든 것을 바쳐야 하겠지만, 그 관계 속에서 '나'는 보이지 않는다면 문제다. 사실 무척 위험한 게 사랑이다.

사랑한다는 것으로
새의 날개를 꺾어
너의 곁에 두려 하지 말고
가슴에 작은 보금자리를 만들어
종일 지친 날개를
쉬고 다시 날아갈
힘을 줄 수 있어야 하리라

시인 서정윤의 〈사랑한다는 것으로〉라는 시다. 내가 청년 때는 무척 유명했던 시인데, 요즘 청춘들도 알고 있는지 모르겠다.

많은 커플들이 '사랑한다는 것으로' 서로에게 너무 커다란 희생을 요구하고 있다. 모든 것을 포기하고 나에게만 몰입해줄 것을 바란다. 집착이다. 날개를 꺾어 곁에 두려고만 한다. 그리고 그것을 사랑이라 부른다. 상대를 사랑한다고 하면서, 서로서로 사랑의 이름으로 자기 요구만 한다. 욕심이다.

이 점을 알았으면 좋겠다. 사랑이란 서로를 완성시켜가는 관계다. 거울 같은 것이다. 그 사람을 통해 나의 가장 아름다운 모습을 볼 수 있게 만들어주는 것이다. 만약 그 사랑이 '관계를 위한 관계'에 빠져 자아의 퇴행을 요구하는 것이라면, 그것은 사랑이 아니다. 상대방에게 투사된 자기애(自己愛)의 변형일 뿐이다. 그렇다. 우리는 많은 경우, 그 사람을 사랑한다고 하면서도 실은 '누군가를 그렇게도 사랑하고 있는 로맨틱한 감정에 놓인 자기 자신'을 사랑하고 있다.

냉철하게 물어라. 그대의 연인이 사랑하는 사람은 그대인가, 혹은 그이 자신인가? 다시 물어라, 그대가 사랑하는 것은 그 사람인가 혹은 그대 자신인가? 그대가 사랑하는 것이 결국은 자신이라면, 그것은 사랑이 아니다. 최선의 자기, 최선의 상대를 만들어줄 수 있는, 그런 사랑을 하라. 결국 그럴 수 없다고 한다면,

사랑 따윈 필요 없다.

두 개의 모순되는 글을 썼다. 내일이 없는 것처럼 온몸을 던져 사랑하라고 했고, 자아를 잃게 만드는 사랑 따윈 필요 없다고 했다. 그럼에도 나는 전혀 애먼 말을 했다고는 생각하지 않는다.

왜냐고? 이 글에서만큼은 그 결론을 여기 적지 않으련다. 사랑이란 규정하는 것이 아니라 경험하는 것이므로, 그리고 그 경험은 내가 아니라 그대가 하는 것이므로. 그러므로 굳이 한마디를 더한다면 이것뿐이다.

사랑하라.

# 내 안의 혁명 :
## 프리다 칼로 이야기

그대, '프리다 칼로'라는 화가를 아는가? 그는 육체적, 정신적 역경을 이겨낸 멕시코의 국보급 예술가다. 그의 평생소원은 단 세 가지였다고 한다. 남편 디에고와 함께 사는 것, 그림을 계속 그리는 것, 그리고 혁명가가 되는 것.

### I
### 디에고와 함께 살기

그는 평생 자신을 가두는 질긴 차꼬(족쇄의 일종으로, 칼로의 초상화에 등장하는 강철 코르셋이 자꾸만 이 어려운 단어를 떠올리게 한다)와 싸우며 살았다. 그는 어린 시절 소아마비를 앓은 뒤 불편했던 다리 때문에 고통받았다고 한다. 그러다 엎친 데 덮친 격으로 열여덟 살에 철골이 복부와 척추를 관통하는 교통사고를 당해 결국 하반신 마비의 장애를 평생 짊어지고 살아야 한다는 판정을 받았다. 수없이 수술이 반복되었지만, 결국은 한쪽 다리를 잘라내야만 했다. 그 후 그는 인생의 대부분을 휠체어와 침대에서 보냈다.

하지만 이러한 육체적 고통은 남편 디에고가 가져다준 마음의 고통에 비하면 아무것도 아니었을 것이다. 스물둘이 되던 해, 프리다는 21년 연상인 화가 디에고 리베라와 결혼했다. 이미 디에고는 두 번이나 결혼한 경력이 있는 천하의 바람둥이였다. 디에고는 혼외정사를 그저 소변보는 일 정도로 여길 만큼 여성편력이 심했다고 한다. 그 상대 중에는 심지어 프리다의 여동생도 있을 정도였다. 프리다는 훗날 디에고와의 결혼을 '제2의 교통사고'라 불렀다고 한다.

## 2

## 그림 그리기

두 차례의 유산, 일곱 번의 척추수술, 오른쪽 다리 절단, 그리고 그보다 힘들었을 남편과 여동생의 배신을 딛고 프리다는 그림을 그렸다.

영혼과 육체가 모두 상처입고, 오직 두 손만이 자유로웠던 그가 할 수 있는 마지막 선택이었으리라.

프리다는 불굴의 의지와 놀라운 독창성으로 세계 화단의 변방인 멕시코 여성이라는 유리천장을 깨고 당당히 거장의 반열에 올랐다.

강철 코르셋이 아니면 지탱할 수 없었던 육신의 절망 속에서 그를 구원한, 타오르는 예술혼과 꺾이지 않는 의지를 생각해본다. 그림을 그린다는 것, 그것은 그의 고단한 삶을 지탱할 수 있게 한 단 하나의 '몰두'였을 것이다.

## 3
### 혁명

프리다는 사회주의 혁명을 꿈꿨다. 프리다가 혁명을 염원하게 된 것은 멕시코로 망명한 러시아의 혁명가 트로츠키와의 만남이 계기였다고 한다. 남편 디에고도 혁명의 화가로 불렸고, 프리다 스스로도 혁명정신이 가득한 그림을 많이 그렸다. 또한 페미니스트의 시각에서 보면, 그는 여성주의 혁명을 온몸으로 실천한 인물이기도 하다.

하지만 나는 프리다의 진짜 위대한 혁명은 자신으로부터의 혁명이었다고 생각한다. 사실 그가 그저 평범한 소시민이었더라도, 굴절된 개인의 역경을 넘어서서 한 인간으로서의 삶을 지탱해온 것만으로도 경의를 표할 일이다. 거기서 나아가 그 모든 장애를 극복하고 그림에 몰두해 놀라운 성취를 보여온 그 삶 자체가 혁명이 아니고 무엇이겠는가?

인생의 차꼬가 옥죄일수록 그보다 더 단단한 삶의 지지대가 있어야 한다. 몰두가 그 지지대다. 몰두가 나를 만든다. 우리는 저마다 우리가 몰두하는 그것이다.

진정한 몰두를 위해서는 자신으로부터의 혁명이 필요하다. 무엇을 성취하고자 할 때, 충분한 재능을 가졌는가는 부차적인 문제다. 문제는 그 무엇에든 우리 삶을 바꾸고, 동시에 우리 삶을 지탱해나갈 수 있을 만큼 몰두할 용기를 가졌는가, 하는 것이다. 어느 책 제목처럼 많은 바보들은 결의와 각오만으로 시간을 보내다가, 정작 실천이 필요한 시점에서는 나태와 타성으로 포기하기 일쑤다. 늘 그렇듯 중요한 것은 실천이요, 용기다. 그것이 혁명이다.

진정한 몰두를 위해서는
자신으로부터의 혁명이 필요하다.
무엇을 성취하고자 할 때,
충분한 재능을 가졌는가는
부차적인 문제다.
문제는 우리 삶을 바꾸고,
동시에 우리 삶을 지탱해나갈 수
있을 만큼 몰두할 용기를 가졌는가,
하는 것이다.

〈부러진 척추(La columna rota)〉, 1944년, 유채화,
멕시코 돌로레스 올메도 파티뇨 미술관(Mexico Dolores Olmedo Museum Patinyo).

# 내 인생의 오답노트

둘째아들 녀석이 퇴근길에 문구점에 들러 '오답노트'를 사다 달라고 한다. 내가 학교 다닐 때에는 오답노트라는 것이 없었기 때문에, 처음엔 그게 무슨 책이름인 줄 알았다. 하지만 사고 보니 그냥 공책이다. 겉표지에 오답노트라고 적혀 있는. 틀린 수학문제를 왜 틀렸는지 검토하고 다시 한 번 풀어보는 용도로 쓰는 모양이다.

참 좋은 공책이라고 생각했다. 틀린 문제를 다시 되짚어보면 실수의 패턴도 알 수 있고, 앞으로 같은 유형의 문제는 틀리지 않게 될 것이기 때문이다. 프로 바둑기사들도 시합이 끝나면 '복기(復碁)'라는 것을 한다. 처음부터 다시 그대로 두어보면서, 어디가 문제였는지를 서로 점검하는 것이다.

우리는 상처를 입고 나서야 비로소 무언가를 깨닫는다. 아마도 경험하지 않고도 삶의 진리를 체화할 수 있다면 세계에서 가장 현명한 사람이 될 수 있을 게다. 거기까지는 바라지도 않는다. "다음에는 절대 이러지 말아야지."라는 결의로 상처를 닦아내고서 정말로 그러지 않을 수만 있다면 얼마나 좋을까? 불행하게도 우리는 시간이 지나면 같은 실수를 또 반복한다.

중요한 것은 실수를 하지 않는 것이 아니다. 한 번 했던 실수를 다시 하지 않는 것이다. 그렇다. 수학뿐 아니라 우리 인생에도 '오답노트'가 필요하다. 다시 틀리지 않게 깨우쳐줄.

어떻게 이유를 대보아도 스스로에게 납득이 되지 않을 만큼 명백한 잘못을 우리는 종종 한다. 사람의 행동이라는 게 워낙 양가적(兩價的)이어서 이리저리 궁리해보면 어떻게 합리화가 될 법도 한데, "앞으로 절대 이러지 말아야겠다는 값비싼 교훈을 얻었다."는 자기위안 이외에는 정말 아무 변명도 생각나지 않는 그런 실수들 말이다.

더욱 화가 나는 것은, 그처럼 값비싸게 얻은 교훈을 학습하지 못하고 얼마 가지 않아 같은 종류의 잘못을 다시 범할 때다. 이럴 때는 정말이지 나 자신을 용서할 수가 없다. 나는 왜 이리도 쉽게 망각하는가.

어느 날부터 나도 아들처럼 '오답노트'를 쓰기 시작했다. 내 오답노트는 나 스스로도 납득이 되지 않는 실수를 할 때마다 일기처럼 적곤 하는 비망록인데, 벌써 번호가 꽤 된다. 한 달에 한두 번은 글로라도 자신을 벌줄 일이 생기는 것 같다. 가끔 읽어보면 몹시 부끄럽다. 대체로 같은 패턴의 몇 가지 잘못을 계속 반복하고 있다. 더 아픈 것은, '실수의 뼈아픔을 잊지 말자'고 쓰기 시작한 글인데, 틈틈이 꺼내어 읽는 것조차 잊고 사는 날이 대부분이라는 사실이다. 나의 건망증도 보통 중증이 아닌 것 같다. 나는 왜 이리도 쉽게 망각하는가.

물론 잊을 수 있다는 사실이 눈물겨울 만큼 감사할 때도 있다. 치밀어 오르는 분노나 짠한 슬픔처럼, 퍼렇게 날이 선 감정을 이기지 못하고 온몸이 아파질 때면 늘 외우는 주문이 있다. "괜찮아, 자고 나면 많이 잊어버릴 거야."

정말로, 여간 심각한 일이 아니라면 다음날 아침에는 감정의 생채기가 많이 아물어 있다. 시간에는 치유하는 힘이 있다. 절대로 잊히지 않을 것 같았던 젊은 날의 깊은 상처들도, 일부러 톡톡 건드리지 않는 한, 더 이상은 스스로 통증을 전하지 않는다. 그래, 나는 이렇게 망각하고 산다.

이렇듯 아무리 망각의 치유력이 세다고 할지라도, 같은 실수를 반복하지 말자고 오답노트에 그렇게도 꾹꾹 눌러 적었던 잘못을 똑같이 다시 저지를 때면 내 스스로에게 진저리가 난다. 도대체 이런 식이라면 오답노트를 적을 이유가 무엇인가?

〈인셉션〉으로 유명한 크리스토퍼 놀런 감독의 초기 작품 중에 〈메멘토〉라는 영화가 있다. 아내의 죽음을 목격한 충격으로 단기 기억손실증이라는 희귀한 증상을 앓게 돼 10분 이상 기억하지 못하는 주인공이 범인을 찾아나가는 이야기다. 기억이 10분을 지속하지 않으므로 주인공은 끊임없는 메모와 폴라로이드 사진으로 연명하면서 범인에 대한 단서를 모아나간다. 그러다가 정말 결정적인 단서를 찾으면 절대로 잊지 않도록 몸에 새긴다. 그래서 이 주인공의 몸은 온통 문신투성이다.

이 기이한 설정의 영화를 보면서 과연 나는 이 주인공과 무엇이 다른가 생각했다. 내가 모든 기억을 10분 만에 잃는 것은 아니지만, 같은 잘못을 끊임없이 반복하는 내가 기억손실증 환자와 무엇이 다른가 말이다.

오늘 다시 오답노트에 번호 하나를 더했다. 지난 달 '앞으로는 절대 잊지 말자'고 비분강개하며 적었던 일과 똑같은 내용이다. 아, 정말이지 나는 왜 이리도 쉽게 망각하는가. 정녕 몸에 문신이라도 해야 하는가?

2010년 U-17 여자월드컵에서 MVP와 득점왕을 차지하며 한국 팀을 우승으로 이끈 여민지 선수가 초등학교 4학년 때 축구에 입문하면서부터 써온 훈련일기가 화제가 됐다. 초보자를 위한 축구교재로 삼아도 될 만큼 충실한 메모와 자기반성으로 이미 6권을 채웠다고 한다.

올림픽 금메달에 빛나는 마라톤 영웅 황영조 선수도 1988년 강릉 명륜고 1학년 때부터 1996년 은퇴할 때까지 하루도 거르지 않고 훈련일기를 적었다고 한다. 어떤 날씨에, 어떤 길을 달렸고, 무엇을 먹었으며, 기록은 어땠는지 등……. 국가대표를 이끌고 있는 지금도 그 자료를 선수 지도에 참고할 정도라고 한다. 성공하는 사람은 다르다. 자기를 돌아볼 줄 아는 능력이 있다. (註 : 'MVP 여민지의 일기', 조선일보, 2010. 9. 28. A30면.)

나는 훈련일기처럼 나를 발전시켜주리라는 희망을 품고 오늘도 꿋꿋하게 오답노트를 적는다. 〈메멘토〉의 주인공처럼 몸에는 남기지 못하지만, 마음의 문신은 되어주기를 바라는 심정으로 말이다. 다음에는 조금 나아질 거라는 희망을 가지고, 오답노트 쓰기를 포기하지 않을 것이다. 아직도 살아갈, 그리고 나를 고쳐나갈 날들이 아주 많이 남아 있으므로.

그대에겐 인생의 오답노트가 있는가?

# 누구나 지금이<br>자기 인생에서 가장 늙은 때다

우리 인생에서 가장 찬란하게 빛나는 황금기는 언제일까? 설문조사를 벌인다면 아마 20대, 그중에서도 대학시절이 1위를 차지하지 않을까? 초중고생들의 지상 목표는 '대학 가는 것'이므로 당연히 대학시절에 한 표를 던질 것이고, 내 동년배들도 과거를 회상하며 "대학 다닐 때가 좋았지……." 하는 이들을 많이 봤다.

대학생. 스물에서 스물넷, 혹은 스물여섯, 일곱에 이르는 시기. 육체적으로 가장 건강하고 아름다운 데다 가장 지적이고 자유로운 조직인 대학의 울타리 안에서 생활한다. 미성년의 규제를 막 벗어난 달콤함을 만끽할 수 있고, 사회생활을 하며 부딪혀야 하는 성년의 씁쓸함도 유보할 수 있다. 아무리 변했다고는 하나, 아직도 캠퍼스엔 청춘의 낭만과

로망이 많이 남아 있다. 이런 이유에서, 물론 나도 대학시절이 인생의 황금기라는 데 한 표다. 어른들이 하는 말처럼, 대학생, 정말 좋을 때다.

하지만 이런 말에 현혹되어서는 안 된다. 누구나 '지금'이 자기 인생에서 가장 늙은 때다. 더구나 누구나 자신의 과거에 대해서는 한없이 관대해진다.

그렇다. 젊은 그대는 지금 그대 인생에서 가장 늙고, 가장 힘든 시기를 보내고 있다.

설령 20대가 인생에서 가장 좋을 때라는 것을 인정하더라도, 그것이 아무 걱정도 없는 시기라는 사실을 의미하지는 않는다. 20대는 가장 좋을 때이기도 하면서, 동시에 가장 고민이 많은 힘든 시기다. 그 고민들은 지금이 가장 아름다운 시기라고 해서 차감되는 것이 전혀 아니다.

도대체 왜 이렇게 힘들까? 과거, 현재, 미래의 문제가 한꺼번에 몰려 소용돌이치면서 터져 나오기 때문이다.

다른 나라 같았으면 10대 중반에 겪었어야 할 사춘기적 문제들이 우리나라에서는 '대입을 위한 무한경쟁' 때문에 유예됐다가 성년이 되면서 폭발한다. 중고등학교 때는 착했는데, 오히려 대학 가더니 아이가 이상해졌다고 말하는 부모들이 있다. 흔한 일이다. 또 충분히 그럴 수 있는 일이다. 유보된 과거의 성장기적 문제가 불거져 나왔기 때문이다.

이때는 또한 미성년의 보호막을 걷고 성년으로 다시 태어나는 변혁의 시기다. 알을 깨고 나와 맞닥뜨리는 새로운 성년의 세계는 상상했던 것과는 달리 냉정하기 그지없다. 20대는 인생을 살면서 수없이 반복하게 될 번민이 본격적으로 찾아오는 혹독한 시기다.

또한 20대는 미래의 인생을 설계하는 중요한 시기다. 대학생이라면 곧 학교 밖으로 나가게 될 것이므로 사회인으로서 진로와 역할에 대한 고민을 시작해야 한다. 학교를 벗어나 취직을 했다 해도, 이 길이 내 길이 맞는지 하는 고민이 끊이지 않는다. 이러한 미래에 대한 불안이 실은 가장 크고 본질적인 문제다. 청춘이 정녕 힘든 이유는 부단히 쌓아야 하는 스펙 때문이 아니라, 한 치 앞을 내다볼 수 없는 미래에 대한 불안 때문이다. 보이지 않는 것은 모두 무섭게 마련이니까.

그러나 잊지 말 것. 미래가 불안한 이유는 역설적이지만 그만큼 많은 가능성이 열려 있기 때문이다. 어떤 목표를 세워 어떤 직업을 가져야 할지, 그러기 위해서는 어떤 준비를 해야 할지, 어떤 사람과 만나 사랑을 하고 가정을 꾸려야 할지……, 인생에서 가장 중요한 결정을 내려야 하는 시기에 다가섰는데, 막상 그 선택지는 거의 무한대로 다양하다.

무한대에 가까웠던 선택지가 하나둘 줄어들 때, 우리는 나이를 먹는다. 선택의 여지가 줄어들면 당연히 고민의 폭도 좁아진다. 그러므로 어른들은 "제일 좋은 시기에 무슨 걱정이냐?"고 말할 자격이 없다. 올챙이가 커서 개구리가 되면, 자기는 어렸을 때부터 올챙이가 아니라 작은 개구리였다고 주장하는 법이다.

그렇다. 지금이 인생에서 가장 고민이 많은 시기다.

그대, 실은 더 고민해야 한다.

마음껏 고민하라. 모든 가능성을 열어두고 원점에서 검토하라. '나는 그래도 배울 만큼 배웠다'는 알량한 기득권 의식일랑 집어던져라. 혼자서 머리 싸매고 이런저런 상념 속에 스스로를 가두지 말고, 다양한 정보를 찾아 나서라. 좋은 결정은 항상 좋은 정보에서 나온다. 사람을 많이 만나고 폭넓게 책을 읽어라. 친구들과 몰려다니며 같은 어둠 속에서 헤매지 말고, 앞서 삶의 길을 걷고 있는 선배와 스승들과 깊은 얘기를 나누어라.

대학, 이 문제덩어리의 공간에 들어온 것을 환영한다. 청춘, 이 고민덩어리의 시간에 들어온 것을 환영한다.

그대의 작은 고민들을 사랑하라. 필연이다. 온몸을 던져 생각하고, 번민하고, 숙고하라.

청춘이 정녕 힘든 이유는
부단히 쌓아야 하는 스펙 때문이 아니라,
한 치 앞을 내다볼 수 없는
미래에 대한 불안 때문이다.
보이지 않는 것은
모두 무섭게 마련이니까.

# 죽도록 힘든 네 오늘도, 누군가에게는 염원이다

## I

여름 밤 야외음식점 같은 곳에 가보면 밝은 빛을 내서 나방들을 유인한 뒤 전기충격으로 죽게 만드는 장치가 있다. 밑에 사체(死體)가 즐비하고 쉼 없이 지지직 소리를 내며 동료들이 타들어가고 있는데도, 수많은 나방들은 불빛을 향해 돌진한다. '주광(走光) 현상'이다. 목숨을 잃을지언정, 빛을 보면 숙명처럼 달려들게 되어 있다는 것이다.

인도네시아의 어느 원주민은 원숭이를 사냥할 때 재미있는 방법을 쓴다고 들었다. 손을 펴서 넣으면 들어가고, 주먹을 쥐면 빠져나갈 수 없는 크기의 주둥이를 가진 항아리 안에 음식을 넣어두면 된단다. 원숭

이들이 달려와 항아리 속에 손을 넣어 먹이를 꺼내려고 하지만 주둥이가 좁아 먹이를 쥔 채로 손을 빼낼 수는 없다. 먹이를 포기하면 손을 뺄 수 있지만 그것을 포기하지 못해 항아리 속에 손을 넣은 채로 떠나지 못하고 있다가, 원주민에게 잡혀간다는 것이다.

나는 불빛 때문에 타 죽는 나방이나 항아리 안의 먹이를 쥔 채 잡혀가는 원숭이들이 참 어리석다고 생각했다. 하지만 돌이켜보니 우리도 전혀 다르지 않다. 아니, 어쩌면 더할지도 모른다. 욕망의 빛을 향해 달려들다가, 소유를 위해 꽉 움켜쥔 주먹을 펴고 버리지 못하다가, 일생을 망치는 사람들이 얼마나 많은가.

2

모든 죽음이 그렇겠지만, 성공한 사람들이 스스로 목숨을 끊었다는 소식은 더욱 우리를 당혹스럽게 한다. 남부럽지 않은 명성이나 돈, 혹은 권력을 가졌던 유명인사가 그리했다는 소식을 접하면, 그런 큰 성공의 근처에도 가보지 못한 우리로서는 허탈하기까지 하다. 언론에서는 늘 이런저런 분석을 하지만, 그 결과가 무엇이든 결국 명예나 돈이나 권력이 사람을 진정으로 행복하게 하는 것은 아니라는 사실은 분명한 것 같다.

요즘 '행복'이 화두다. 이건 조금 놀라운 변화다. 대한민국은 세계에서 유례를 찾아보기 힘들 정도로 가장 빨리 성장한 나라다. 모든 국민이 더 많은 돈, 더 많은 권력, 더 많은 성취를 위해 앞만 보고 달려온 끝에 다른 어떤 나라도 해내지 못한 고도성장을 단기간에 이룩했다. 그동안 '행복'이라는 단어는 사치였다. 성공하면 그게 바로 행복해지는 것이라고 다들 믿었다. 그런데 그게 아니었다는 깨달음이 커지고 있는 것이다. 행복을 이야기하는 사람들이 부쩍 늘었다. 개그 프로그램에서 "우리 행복해집시다!"를 외치는 행복전도사가 있을 정도다.

그렇다면, 그대, 지금 행복한가?

자신 있게 '그렇다'고 답할 수 있는 사람이 많지는 않을 듯하다. 사실 행복이란 굉장히 유동적인 개념이다. 아니, 개념이라기보다는 '상태'다. 인간은 이미 가지고 있는 것에 대해서는 만족을 느끼지 못하기 때문에, 아무리 행복한 요소를 많이 가지고 있더라도 시간이 지나면 그것들은 더 이상 행복감을 주지 못한다.

또 행복이란 매우 상대적이다. 그냥 얼마나 많이 가졌느냐가 아니라, 남보다 얼마나 더 많으냐가 훨씬 중요하다. 비교를 할 때에도 자기보다 남의 행복을 과대평가하는 경향이 있다. 자기가 가진 것은 과소평가하고 남이 가진 것에 초점을 맞추어 판단하는 것을 초점주의(focalism)라 부른다. 우리는 종종 초점주의에 빠져 자기 스스로를 필요 이상으로 불행하다고 진단하고, 의기소침해한다.

이러한 여러 가지 이유로 '나는 행복하다'고 느끼는 사람은 많지 않다. 아주 많이 가진 사람도 행복하다고 느끼기 쉽지 않다. 계속해서 많이 가져야 하고, 주변보다 더 많이 가져야 하기 때문이다. 오죽하면 '행복이란 불행해서 되돌아볼 때만 알 수 있는 것'이라는 말이 있을까.

# 3

많은 청춘들이 힘들어한다. 기대는 하늘을 찌를 듯한데, 취업의 불확실성은 높아져만 간다. 사회는 '만인 대 만인의 경쟁'으로 치닫는데, 내 스펙으로 이렇게 가다가는 영원히 낙오해버릴 것만 같다. 오늘을 사는 청춘이라면 이 불안과 고단함에서 누구도 자유롭지 못할 것이다.

그렇다면, 그대, 힘든가? 불행하다고 느끼는가?

'힘들거든 자기보다 못한 사람들을 내려다보고, 잘나간다 싶거든 자기보다 높은 사람을 올려다보라'고 한다. 힘들다고 좌절하지 말고, 잘나간다고 교만하지 말라는 의미일 것이다.

실제로 고개를 돌려 주위를 돌아보라. 아직도 우리 사회에는 그대의 좌절조차 부러워하는 사람들이 많다. 연로하신 어르신들이 검정고시를 치르고 수능을 준비하며 만학(晩學)의 꿈을 불태운다. 해마다 수능 결시율이 5%가 넘는데, 그 상당 부분은 이런 분들이 결국엔 시험장에도 오지 못해서 생기는 일이다. 불가피한 이유로 자기 꿈을 접으며 배움을 포기해야 했던 수많은 인생을 생각하라. 생활고에 쫓겨 스펙은커녕 생존을 걱정해야 하는 사람들이 여전히 너무도 많다. 우리 주위에는 언론의 주목조차 받지 못하는 수많은 어둠의 공간들이 있다. 이들에게는 그대의 힘겨운 오늘이, 자신은 한 번도 누려보지 못한 호사일 수 있다.

일본의 대표적 경영자 마쓰시타 고노스케가 이렇게 말했다.

"감옥과 수도원의 차이는 불평을 하느냐 감사를 하느냐에 달려 있다."

그렇다. 감사에 행복의 길이 있다. 혹시라도 그대가 깊은 나락에서 좌절할 수밖에 없을 때가 오면, 이 한마디를 기억해줬으면 좋겠다.

죽고 싶도록 힘든 오늘의 그대 일상이,

그 어느 누군가에게는 간절히 염원한 하루라는 것을.

나에게 쓴 편지

# 치열한 꿈꾸기

1996년 여름, 박사학위를 마치고 귀국한 나는 그때까지 필생의 목표였던 모교에 교수로 지원했다. 결과는 낙방이었다. 죽어버릴까 생각해봤을 만큼 좌절의 나날을 보내다가, 이 일기를 쓰고서야 비로소 조금 안정을 찾았다. 그리고 1년 후, 지금 내가 재직하는 서울대 소비자학과에 교수로 임용됐다. 힘들었던 날의 기록을 수정하지 않고 싣는다.

1996년 9월 어느 새벽

어쩌면 지금의 내가 가장 풍요로운 인생을 살고 있을지 모른다는 엉뚱한 생각이 든다. 짧은 기간이나마 내 인생을 걸어 원했던 직장에의 취직도 난망(難望)하고, 당장 경제적으로조차 자립할 수 없는 이 서른넷의 무게가 끊임없이 숙면을 방해하는 지금, 그 정서의 버거움을 나눌 벗들은 너무나 멀리 있고, 해 지고 나면 결국은 몇 방울 알코올이 그 빈자리를 메우기를 넉 달째인 지금이, 내가 살아온 그리고 앞으로 살아갈 인생 중에서 가장 풍요로운 시기일는지도 모른다는 엉뚱한 생각이 자꾸 든다.

숨 쉬는 것이 버거울 만큼 미래의 불안과 현실의 불만에 짓눌리면서 이처럼 엉뚱한 생각을 해보는 건 공연한 자위에서가 아니라, 나는 아직도 꿈꾸고 있다는 이유에서다. 치열한 나의 꿈꾸기.

길을 걷거나 고개를 들어 하늘을 보거나, 나는 오직 한 가지 생각만을 하고 산다. 모교에서 교편을 잡을 수 있을까. 운전을 하거나 음악을 듣거나, 나는 오직 한 가지에만 몰두하고 있다. 어떻게 하면 좋은 논문을 쓸 수 있을까.

난데없이 피아노를 다시 치기 시작했다. 잊었던 나의 꿈을 다시 시작하기 위하여. 일상의 자잘한 좌절과 회의에 몸을 떨 때마다, 나는 한결같이 같은 결론을 낸다. 현실에 치열하자.

곧 어디엔가 자리를 잡고, 일상의 깊은 늪으로 알아차릴 수 없을 만큼 조금씩 조금씩, 나는 그렇게 빠져들 것이다. 적당한 이유를 댈 수 있는 속도로, 그렇게 조금씩 조금씩. 어느 순간 쉽게 이름을 얻고 편히 돈을 얻는 일에 나의 꿈꾸기는 자리를 내어주게 될지도 모른다. 자애(自愛)를 담보로 한 이 도덕적 치열함도 차츰 탈색해갈지도 모르고. 그렇게 되면 아마도 얼굴엔 주름이 지고 이마에는 광택이 들어, 바로 노인의 외모를 가지게 되리라.

치열한 꿈꾸기의 상실은 단순히 나이를 먹어감이 아니라, 안정과 안락의 보수성에서 비롯한다. 슬픔이 시인의 양식이듯, 불안은 치열함의 방부제다. 실패에 내재된 개혁성만이 그러한 꿈꾸기를, 늘 꿈꾸기를 포기치 않는 질긴 나르시시즘만이 그러한 치열함을 가능케 한다.

너의 얼굴은 그만큼 불안하다

번개처럼
번개처럼
금이 간 너의 얼굴은

어린 시절 읊조리던 김수영 시인의 〈사랑〉의 한 구절이 새삼 새롭다. 오랜 시간 잊고 있었던 불안이라는 시어를 다시 상기하게 한 것은 이것이다. 지금 이 방을 둘러싸고 있는 불안, 이 불안한 꿈꾸기.

늘 꿈꾸기를 중단하지 말아야 한다. 꿈을 이루지 못하는 것보다, 꿈꾸기를 망각하는 것이 백배는 더 무섭다. 따라서 꿈꾸기의 가장 은밀하지만 치명적인 적(敵)은 꿈의 성취 바로 곁에 숨어 있다. 그 성공의 보수성.

내가 작은 성취에 마취되어 꿈꾸기를 천천히 잊게 되거나, 삶의 치열함을 차츰 잃게 될 것이 두려워서 이 글을 쓴다. 지금의 이 불안함과, 불안 속에서 키우고 있는 이 치열한 꿈꾸기가 부패하지 않도록.

매일매일 나를 일깨우는 이 버거운 현실과 어둔 미래가 명치끝 그 깊은 곳에서 나를 까맣게 태우는 오늘, 지금이 어쩌면 내 생애 중 가장 풍요로운 순간이리라 되뇌면서, 나태의 나락에서 몸을 추스르지 못할 그 어느 날에 바로 오늘의 불안과 오늘의 자위를 한 번만 되살려달라는 바람에서, 이 글을 쓴다.

짧은 덧붙임. 그 어느 날, 나는 이 글을 꺼내어 들 용기나마 있을까. 읽고서 바로 자신을 추스를 만큼 나의 영혼은 그렇게 그만큼 날씬할까.

그대에게 쓴 편지

# 이별, 그 후

그랬구나……. 결국 그 사람과 헤어졌구나. 그래서 네가 요새 그렇게 힘들어했구나. 선생님은 그것도 모르고, 요즈음 왜 이 모양이냐고 너를 닦달만 했구나. 미안하다. 나는 몰랐어.

힘 내. 이 한마디, 네게 아무 도움도 되지 못한다는 걸 잘 알면서도 지금 선생님으로서는 이 말밖에는 할 수가 없구나. 힘 내.

요즘 아무것도 할 수가 없다고 했지? 공부는커녕 밥 먹고 물 마시는 것조차 너무 힘들다고, 길을 걷다 마주친 그 사람과 관련된 작은 기억의 조각에도 울컥 열병이 다시 도진다고, 그래서 담배를 배우고 술이 늘었다고……. 뭐에 중독된 사람처럼 블로그와 미니홈피에 접속해, 혹시 그날 이후 그가 방문한 흔적이 있는지만 찾고 있다고, 그러다 남아 있는 예전의 사진이며 글을 보며 시도 때도 없이 한바탕 눈물을 쏟아야 한다고. 그런데도 간간이 들려오는 그의 소식은…… 뜻밖에도 너무 잘 지내는 것 같다고. 나는 이렇게 아픈데, 나는 이렇게 아픈데…….

너무 아파하지 마, 이런 말로는 네게 아무 도움도 되지 못한다는 걸 내게 문신처럼 남아 있는 기억으로 알면서도 지금 선생님으로서는 그저 이 말밖에는 할 수가 없구나. 너무 아파하지 마.

이 말이 너에게 조금이나마 위안이 될지 모르겠지만, 지금 이렇게 아픈 건, 너만 그런 게 아니야. 세상의 모든 이별이 다 그렇게 아파. 지금 저 거리를 바삐 오고가는 수많은 아저씨와 아줌마, 할아버지와 할머니들이 모두 상실의 지독한 몸살을 앓았어. 저분들이 몸속에 실연에 버티는 항체를 키우고 별 일 없다는 듯 저렇게 살아가기까지는 독한 이별의 고통을, 그것도 여러 번 감내해야 했어.

페닐에틸아민이라는 호르몬이 있대. 이놈은 특히 시각적 자극에 반응해서 어떤 사람을 보고 마음에 들었을 때 흥분시키는 기폭제 역할을 한다고 해. 한마디로 누군가를 첫눈에 반하게 만드는 호르몬이지. 페닐에틸아민은 화학적으로 마약의 주성분인 암페타민 계열에 속해서 흥분과 환각작용을 일으키는 데다 식욕억제 작용까지 있다는 거야. 사랑에 빠지면 늘 흥분과 긴장의 연속이고 밥을 먹지 않아도 배가 고프지 않았던 게 다 이유가 있었던 거지.

사랑에 빠지면 이렇게 우리 몸 안에서는 호르몬의 축제가 벌어진다는가 봐. 페닐에틸아민 외에도 엔도르핀, 아드레날린, 노르아드레날린, 도파민, 옥시토신, 바소프레신, 코르티솔, 세로토닌 등의 호르몬이 변화하면서 우리를 다른 사람으로 바꾸어놓는다는 거야.

연인과 헤어지면 몸속의 호르몬들이 다시 정상궤도(?)를 찾게 되지. 페닐에틸아민의 마법이 풀리고 엔도르핀 수치도 급격하게 떨어져. 마약이 끊기는 거지. 이 순간 이들 성분에 대한 강한 생리적 금단현상이 일어난다고 해. 더구나 엔도르핀의 대체작용으로 아드레날린과 도파민이라는 전달물질이 갑자기 증가하는데, 이것이 다시 사람을 흥분시키고 욕망을 자극한다고 해. 오랫동안 그리움에 사무치는 이유가 바로 이거야. 스트레스를 주는 호르몬인 코르티솔도 급속히 늘어나서 잠이 오지 않고 항상 불안하게 된다는 거야. 이별의 아픔이 그토록 큰 데에는 육체적으로도 다 이유가 있었어. (註 : 마르코 라울란트의 《호르몬은 왜?》, pp. 171~197에서 인용함.)

갑자기 뜬금없이 호르몬 이야기를 꺼내는 것은, 너를 객관화시켜주기 위해서야. 스스로를, 그 사람을, 이 상황을 남의 일 보듯 볼 수 있게 해주려고. 상실의 고통이 너만의 것이 아니었음을, 팔 할은 그저 물적(物的) 작용의 결과였음을 일깨워주면, 네게 조금이나마 위안이 될까 해서…….

시간이 지나 호르몬의 금단현상이 사라지고, 인체의 항상(恒常) 작용에 의해 다시 모든 호르몬들이 정상수치로 돌아올 때, 비로소 이별의 육체적 아픔은 끝나겠지. 그러면 다시 새로운 사랑을 시작할 수 있는 몸과 마음의 준비가 끝나는 거지. '시간이 약'이라는 말은 이래서 나왔나 봐.

어떤 친구들은 이별 후에 몹시 상심하다가도 언제 그랬느냐는 듯, 금방 새로운 사람을 만나서 주변 사람들을 뜨악하게 만드는 경우가 있잖아? 나는 그런 친구들의 성격이나 연애관에 문제가 있다기보다는 그저 호르몬의 작용이 아닐까 생각해. 그 금단작용을 유난히 견딜 수 없거나, 생각보다 호르몬이 정상궤도로 돌아오는 속도가 빨라서 새로운 사람을 만나는 데 무리가 없는 거지.

그럼 우리 한번 호르몬을 바라보는 것만큼이나 냉정하게 사태를 다시 한 번 바라봐 볼까? 결국 그 사람이 왜 너를 떠났다고 생각해? 서로 너무나 달라서? 그 장벽을 뛰어넘기에는 그동안 너무 힘들었기 때문에? 어차피 맺어질 수 없는 게 너무 분명하니까 지금이라도 헤어지는 것이 서로에게 좋을 것 같아서? 아니면, 결국 너를 사랑하니까?

난 그렇게 생각 안 해. 그 사람이 너를 떠난 건, 네가 충분히 갖지 못한 '그 무엇' 때문이야. 그가 내심 기대했지만 너는 충분히 줄 수 없었던 '그 무엇.' 그러면서 실은 한 번도 네게 정확히 말하지는 않았던 '그 무엇.' 바로 그것 때문에 그는 떠났어.

다소 독하게 얘기해서 미안한데, 할 수 없어. 이 사실을 인정하는 것이 너를 추스를 수 있는 출발점이야. 이 슬픔에서 빨리 벗어나고 싶다고 했지? 그 마음이 진심이라면, 내 이야기를 잘 들어줘. 이 사실을 받아들이지 못하면 지금의 네 아픔은 꽤 오래 갈 거야. 왜냐면 말이지, 네가 겪고 있는 힘겨움은 실은 호르몬 때문만이 아니거든. 그 절반은 네가 스스로 만들고 있는 거야.

내 생각에 너의 좌절은 그 사람에 대한, 혹은 자신에 대한, 시위인 것 같기도 해. "봐라, 나 이렇게 아파한다."고 처절하게 보여줌으로써 그에게 죄책감이, 후회가, 아쉬움이 들게 하고 싶은 건 아닐까? 어떻게든 감정의 동요를 일으키고 싶은 건 아닐까?

이제 일어나.

이렇게 네가 무너진다고 해서 그 사람, 다시 돌아오지 않아. 혹시 기회가 오더라도 그와는 다시 만나지 마. 다시 만나게 되더라도 언젠가는 똑같은 일을 다시 겪게 될 거야. 아까 이야기한 '그 무엇'을 네가 갖추기 전까지는.

'그 무엇'이 네가 아무리 노력해도 갖출 수 없는 것일지라도, 너무 좌절하지는 말아. '그 무엇'이란 무척 상대적인 것이거든. 네가 언젠가 만날 다른 어떤 사람에게는, 지금 네가 가진 그것이 너의 가장 큰 매력이 될 수도 있어.

그는 너를 사랑하기에 떠난 것이 아니야. 너보다는 자신을 더 사랑하기에 떠났어. 이기적인 사람이지. 하지만 너무 원망하거나 욕하지는 마. 우린 모두 이기적이잖아. 하지만 누군가, 서로에게 이기적이고 싶지 않게 되는 사람이 저 거리 어딘가에 분명히 있어. 우리는 그런 사람을 만났을 때, 사랑한다고 말하는 거야. 다만 이번에는 그런 사람을 만나지 못했던 것뿐.

자, 이제 잊고 일어나. 아무렇지 않게 끝낼 수는 없겠지만, 자학은 아무것도 만들어내지 못해. 너무 긴 힘듦은 아름다운 널 병들게 할 뿐이야. 다음 주 강의실에서 자네 이름을 부를 때면, 신입생 환영회 때 우리를 깜짝 놀라게 해주었던 너의 그 활기차고 기분 좋은 모습을 다시 볼 수 있기를 바라.

# 기적이란
# 천천히
# 이루어지는
# 것이다

PART 3

# 작심삼일 당연하다,
# 삶의 방식이란 결심이 아니라 연습이니까

인터넷에 떠도는 유머 한 토막.

어느 초등학교 국어시험에 다음과 같은 문제가 나왔다.

〈'결심한 마음이 사흘을 가지 못하고 곧 느슨하게 풀어져버리는 것'을 무엇이라고 할까요? 다음 □안에 들어갈 말을 쓰세요. 작□삼□.〉

답은 물론 '작심삼일(作心三日)'이다.

그런데 어떤 학생이 이렇게 적었단다. 작(은)삼(촌).

이 이야기를 들려주면 집에 '작은삼촌'이 있는 사람들은 모두 "맞아, 맞아!" 하며 박장대소한다. 생각해보면 정말 그렇다. 대체로 집집마다 작은삼촌들이 문제다. 어째 그럴까? 왜 작은삼촌들은 매번 작심삼일만

하고 마는 걸까?

하지만 나는 단언할 수 있다. 작심삼일은 작은삼촌들만의 문제가 아니라고. 남녀노소, 동서고금을 막론하고 모든 사람들이 마음에 품었던 단단한 결의는 사흘을 가지 못한다. 심지어 가장 훌륭한 위인들도 작심삼일한다.

그대 역시 이런저런 결심을 했다가, 며칠 못 가서 흐지부지해진 경험이 있을 것이다. 아침마다 운동을 하겠다든지, 하루에 몇 시간씩은 꼭 영어 공부를 하겠다든지, 담배나 술을 끊겠다든지……. 하지만 그 결심이 며칠이나 갔던가?

그대가 가장 최근에 했던 결의가 무엇인지 떠올려보라. 이번에 처음 한 것인가? 아마도 아닐 것이다. 우리가 하는 대부분의 결심은 과거 언젠가 했던 것의 반복이다. 그것도 여러 번의 작심삼일을 거친…….

이처럼 결의를 실천하는 것이 힘든 이유는, 그 결심이 대부분 우리의 '습관'을 바꾸려는 것이기 때문이다. 습관은 바꾸기 어렵다. 일본의 이시우라 쇼이치라는 교수에 의하면 습관을 바꾸는 일은 뇌 구조가 변해야 가능하고, 그러기 위해서는 최소한 한 달의 반복이 필요하다고 한다. 작심삼일이 아니라, '작심삼십일'은 돼야 습관을 고칠 수 있는 것이다.

하지만 나는 30일로도 턱없이 부족하다고 생각한다. 나는 5년 넘게 끊었던 담배를 허망하게도 하루아침에 다시 피운 적이 있다. 지금은 4년째 금연 중인데, 그렇게 되기까지 정말로 100번도 넘게 좌절스러운 작심삼일을 경험했다. 실은 이번 금연도 평생 갈 수 있을 것이라고는 자신하지 못한다.

학기초엔 그렇게 붐비던 도서관이, 시간이 지날수록 빈자리가 많아진다. 월초마다 빠지지 않겠다고 그렇게 다짐하며 등록했던 학원 새벽반을 거르기 위해 얼마나 창의적인 핑계들을 스스로에게 만들어내야 했던가? "내년부터는 달라질 거야!"라는 작심삼일을 열 번 하고 나면 그대의 20대가 저문다.

심지어 군대에서 2년 넘게 일찍 자고 일찍 일어나는 버릇을 들였던 친구들도 제대하자마자 바로 다시 '올빼미 모드'로 돌아가는 일을 무척 자주 본다. 2년을 보내고도 원래 버릇을 바꾸기란 그렇게 힘든 것이다. '세 살 버릇 여든 간다'는 속담마저 있지 않은가. 어릴 때 버릇을 잘 들여야 한다는 표현이겠지만, 곧이곧대로 해석하면 한번 버릇이 들면 평생 바꾸지 못한다는 말도 될 것이다.

우리는 대개 무언가를 하기 위해 먼저 작심(作心), 즉 마음을 먹는다.

삶을 사는 방식이 '결의'에 의해 이루어진다고 생각하는 경향이 있기 때문이다. '이렇게 살아야겠다'고 굳건하게 결의하면 실천은 따라온다는 식이다. 그리고 그 실천에 실패하면 자신의 의지가 나약하다고 자책한다.

하지만 삶의 방식은 결의가 아니다. 연습이다. 마치 수영을 배우는 것과 비슷하다. 수영 잘하는 법에 대한 책을 달달 외우고, "내일부터 수영을 잘할 테다!" 하고 결의하면 박태환 선수처럼 될 수 있을까? 물론 천만의 말씀이다. 수영을 잘하려면 연습해야 한다. 매일매일 연습하면서 조금씩 자기 자신을 바꾸어나가야 한다. 중간에 일이 생겨서 하루이틀 거르더라도 새롭게 마음을 다잡고 다시 시작해가면서.

아직 3일 연습해서 수영 잘하는 사람은 본 적이 없다. 그러므로 작심삼일했다고 너무 자책하지는 말 일이다. 중요한 것은 처음의 결심을 며칠 실천하지 못했더라도 실망하지 않고 다시 계속해나가는 태도다. 공부, 금연, 절주, 다이어트 등 유혹을 이겨내야 하는 습관들은 결의로 해결할 문제가 아니라, 지속적으로 관리해나가야 할 문제다.

내가 석사장교로 입대해 영천의 육군제3사관학교에서 훈련 받을 때의 일이 생각난다. 당시 4개월간 받아야 했던 장교훈련의 하이라이트는 마지막 200km 행군이었다. 입소 첫날 훈련계획에 대한 오리엔테이션을 받을 때 모두가 경악했다. 200km라니! 그것도 30kg에 이르는 완전군장을 짊어지고 4박 5일 동안 낮에는 강의를 듣고 밤에는 걸어야 한다는 것이다. 석사학위 소지자만 모아놓은 과정이었기 때문에 모두가 26세 이상이었고, 대부분 고등학교 졸업 이후 공 한번 찬 적 없는 약골들이었다. 그런데 200km 행군이라니!

과연 낙오하지 않고 행군을 해낼 수 있을지 입소기간 내내 모두들 걱정이 대단했다. 결론부터 말하면 전원이 행군을 무사히 마쳤다. 그 비결은 정신력이나 군인정신 같은 게 아니었다. 4개월의 훈련기간 동안 꾸준히 조금씩 거리를 늘려가며 행군을 계속해나갔기 때문이었다. 처음에는 영내의 연병장에서 훈련했지만, 입소 한 달 이후 실시됐던 사격훈련의 교장(敎場)은 약 5km, 그다음 달의 대대전투 훈련은 10km 정도 떨어진 곳에서 하는 식이었다. 3개월쯤 지나자 하룻밤을 꼬박 걸어야 도착할 수 있었던 유격훈련장에도 무리 없이 다녀올 정도가 되었다. 이렇게 차츰 걷는 거리를 늘려간 끝에, 결국 그 '국민약골' 집단이 200km의 행군을 무사히 마친 것이다.

갑자기 군대 얘기를 꺼내서 미안하지만, 전달하려는 메시지는 분명하다. 처음부터 이를 악물고 정신력으로만 200km를 걸으라고 했다면 성공하지 못했거나, 큰 탈이 났을 것이다. 실천의 기간을 적절하게 잡

중요한 것은
포기하지 않는 것이다.
더딘 것을 염려하지 말고,
멈출 것을 염려하라.

고 꾸준히 연습해나갔기에 불가능할 것 같던 미션도 수행할 수 있게 됐다. 연습은 참으로 많은 것을 가능하게 한다.

우리 생활에서도 마찬가지다. 너무 많은 것을 한꺼번에 결심하고 실천하려고 하면 안 된다. 작심하는 사항이 많을수록 실패할 확률은 더 커진다. 특히 새해 첫날 같은 때 일출을 보며 올 한 해에 실천할 사항을 열 가지도 넘게 결심하는 친구들이 있는데, 이런 경우 하나도 성공 못할 가능성이 더 크다. 가장 중요한 한 가지만 정해놓고 꾸준히 자신을 점검해가며 실천하는 편이 좋다. 중간에 다소 태만해지더라도 계속해서 자신을 다잡아가면서 말이다. 이때 한번 지키지 못했다고 좌절하지 않는 것이 핵심이다. 한두 번의 작심삼일은 지극히 당연하다. 중요한 것은 포기하지 않는 것이다. 더딘 것을 염려하지 말고, 다만 멈출 것을 염려하라.

이 점을 받아들이면, '오늘'이 중요해진다. 많은 사람들이 '내일'부터 실천하겠다고 한다. "오늘까지만 먹고 내일부터 처절한 다이어트에 돌입하겠어!" 하는 식이다. 이 경우 '내일부터'의 결의는 마음의 위안일 뿐이다.

수많은 작심삼일이 존재하는 진짜 이유는 그 결의가 실은 오늘의 나태를 합리화하는 방편이었기 때문이다. 연습은 많은 '오늘'들이 모여서 만들어진다. 내일은 없다. 그러므로 내일부터가 아니라, 오늘 조금이라도 한번 해보는 것이 중요하다.

이 땅의 수많은 '작은삼촌'들이여, 결심이 아니라 연습을 시작하라. 오늘부터, 지금부터.

# 혼자 놀지 마라

인간관계, 중요하고 어렵다. 인생의 힘들었던 시기를 한참 지나고 나서 되돌아볼 때 육체적, 경제적인 고통은 사실 그렇게 고통스럽게 느껴지지 않는다. 훨씬 더 버거운 것은 인간관계에서 오는 심리적 갈등이다. 더구나 우리나라는 인맥과 인간관계가 유달리 중요한 사회다. 많은 중요한 문제들이 인간적 신뢰를 토대로 이루어진다. 인간관계, 중요하고 어렵다.

우리나라에서는 대학에 진학하면서 인간관계의 문제가 비로소 본격적으로 불거지기 시작한다. 먼저, 대학에는 고정된 반(班)이 없다. 유치원에서부터 고등학교에 이르기까지, 학생들은 반을 중심으로 생활한다.

30~40명 정도의 제한된 공동체 속에서 싸웠다가 화해하고, 좋아하다 미워하고, 그렇게 지지고 볶으며 1년을 보낸다. 그런데 대학에 오면 그 반이 없어지는 것이다.

반이 없어진다는 것은 양적으로도, 질적으로도 큰 변화다. 친구들끼리의 관계, 선생님과의 관계가 전부이던 초등학교, 중고등학교에서는 인간관계의 유형이 비교적 단순하다. 하지만 대학에 들어오고 성인이 되면서부터 이성친구, 동성친구, 선후배, 교수, 직장상사, 동료, 외부 협력자 등, 매우 친근한 1차집단적 관계부터 일 때문에 알게 되는 지극히 기능적인 관계에 이르기까지 인간관계의 양태가 폭발적으로 확장한다.

이렇듯 인간관계의 폭이 엄청나게 넓어지면서 만나는 사람의 수는 비약적으로 늘어나는 반면, 한 사람 한 사람과 접촉할 시간과 기회는 크게 줄어든다. 그러니 예전처럼 친밀한 관계를 맺기가 어렵다. 한 번 실수로 관계가 어그러지면 복구하기도 쉽지 않다. 그래서인지 중고등학교, 초등학교 때 친구들만 한 관계는 없다는 이야기도 많이 한다.

문제는 입시준비만 하느라 인간관계에 대해서는 전혀 준비나 연습이 없는 채로 성인이 되기 때문에 생긴다. 중고등학생 때에는 말 그대로 '공부만 잘하면 됐기' 때문에, 그리고 주위의 사람들과만 잘 지내면 됐기 때문에 폭넓은 인간관계에 대해 신중히 생각하거나 충분히 경험

할 기회가 부족했다. 이제 대학생이 되고 성인이 됐는데, 거기에 합당한 인간관계에 대해서는 전혀 연습한 적이 없는 것이다.

더구나 요즘 세대들은 인간관계에 대해 세대적으로도 과거 젊은 세대보다 취약할 수밖에 없다. 요즘 친구들은 '개인'으로 성장하기 때문이다. 나 같은 세대들이 형제자매들과 한 방을 쓰며 아옹다옹 다투고 부딪치면서 아주 어릴 때부터 공동체 생활의 기초를 배운 것과는 달리, 요즘에는 독자(獨子)로 태어난 친구가 50% 이상이고, 형제자매가 있어도 대개 자기 방에서 혼자 생활한다. 놀 때에도 예전처럼 골목에서 친구들과 술래잡기나 고무줄넘기를 하는 것이 아니라, 각자 혼자서 게임을 하며 논다. 주로 사용하는 제품도 가족이 함께 쓰는 가전(家電) 제품이 아니라 휴대폰, MP3플레이어, 게임기, PMP, 노트북 등 혼자 쓰는 개전(個電) 제품들이다. 대학에 와서도 하숙을 하거나 '룸메'를 두기보다는 원룸에서 혼자 생활하는 것을 선호한다.

또 요즘 친구들은 인간관계의 많은 부분을 온라인에서 해결한다. 대부분의 대학생들이 싸이월드, 블로그, 미투데이, 트위터, 페이스북, 게임 커뮤니티나 길드 등 개인화된 온라인 매체를 가지고 있다. 실생활(오프라인)에서는 다소 외톨이일지 몰라도 온라인에서는 제법 유명하다는 친구도 많다. 모르는 사람들은 찌질하다고 할지 몰라도, 싸이 방문자가 하루 수백 명에 이르고 게임 사이트에서의 신분이나 아이템은 대단하다는 식이다.

이런저런 이유로 혼자 노는 것이 더 편한 친구들이 많아지고 있다. 학과행사나 단체활동에는 시큰둥하고 그냥 혼자 지내는 것이 더 편하다며, '아싸(아웃사이더)'를 자처한다. 내가 오랫동안 가르쳐온 교양수업에도 혼자 수업 듣는 친구들이 옛날보다 무척 많아졌다. 공강시간, 점심시간을 친구랑 함께하느라 일정이 틀어지느니 차라리 혼자가 더 편하다는 것이다. 팀플을 할 때에도 옛날에는 기어코 친한 친구들끼리 조를 하려고 애를 썼는데, 요즘엔 "그냥 교수님이 짜주세요." 하는 친구들이 많다. 그렇게 팀을 만들어 제출하는 보고서에는 각자의 기여도가 10%, 40%, 50% 하는 식으로 적혀 있다. 커피 전문점에 가봐도 노트북을 들여다보며 혼자 앉아 있는 젊은 친구들이 많다. 실로 '혼자 놀기'의 전성시대다.

하지만 문제는, 여전히 인간은 사회적 동물이고, 사회는 혼자 노는 곳이 아니라는 사실이다. 그러므로 그대는 사람들과 어울리는 법을 학습해야 한다. 혼자 놀면서 차곡차곡 스펙을 모아 취직하면 그만인, 그런 청춘은 없다. 오히려 중고등학교에서 배우지 못했던 다양한 인간관계를 체험해야 한다.

대학에 '자살방지 핫라인 전화'를 24시간 운영한다는 뉴스를 들을 때마다 정신이 아뜩하다. 싸이의 1촌이 수백 명이고 트위터 맞팔 상대가 수천 명인들 무엇 하겠는가? 자살을 생각할 만큼 절실한 고민을 밤새 들어줄 친구는 하나도 없는데 말이다.

물론 온라인의 인간관계가 공허하다거나 쓸데없다는 말을 하려는 것은 아니다. 나도 홈페이지, 미니홈피, 블로그, 트위터를 운영했거나 하고 있다. 온라인은 나름대로의 막강한 영향력과 재미가 있다. 하지만 온라인은 온라인대로의, 그리고 오프라인 실생활에서는 오프라인대로의 인간관계의 기능성과 필요성이 별도로 존재한다. 그 필요성을 모두 온라인으로만 밀어두고 사람들과의 부대낌을 피하려 하지 말라.

그대, 부대껴야 한다. 수시로 오프행사에 기웃거리고 얼굴을 내밀어야 한다. 스펙에 도움이 되는 클럽이 아니라, 사람 냄새가 물씬 나는 모임에 가입해야 한다. 설령 거지같이 재미없더라도 축제기간엔 학교에 나와 구경이라도 해야 한다. 구세대의 낡은 습관이라 여길지언정 직장 동료와 함께 밥 먹으러 움직이고, 상사의 '번개'도 재미라고 받아들여야 한다.

나는 가끔 제자들의 주례를 서는데, 그때마다 주례사에서 빼놓지 않는 말이 하나 있다. 좋은 관계를 위해서는 역지사지(易地思之), 즉 입장을 바꾸어 생각해야 한다는 것이다. 비단 부부뿐 아니라 사람 사이 모든 관계의 기본은 역지사지라고 생각한다. 간단하다. 남이 나에게 해주었으면 하고 바라는 말과 행동을 하고, 남이 나에게 했을 때 즐겁지 않은 짓은 하지 않는 것이다.

역지사지란 간단하지만 실천하기는 쉽지 않다. 인간은 기본적으로 매우 자기중심적이어서 자기 자신에게 관대하고 또 스스로 합리화하게 되기 때문이다. 그러므로 끊임없이 자기 자신을 돌아보아야 한다. "나는 역지사지하고 있는가?"라는 질문을 매일매일 자신에게 던져야 한다. 그리고 그 반성을 실천에 옮겨야 한다. 일상 속에서 늘 '입장 바꾸기'를 연습해야 한다.

그대들은 서로가 서로에게 한없이 미숙한 '귀한 자식'들이다. 서로가 마음에 들지 않고 설혹 갈등이 있다 하더라도, 그때마다 입장을 바꾸어 생각하고 양해해줘야 한다. 좋은 친구란 그리고 변치 않을 인간관계란 어딘가에서 찾아내는 것이 아니라, 노력하며 함께 만들어가는 것이다.

그대, 혼자 놀지 말라. 혼자 밥 먹지 말라. 혼자 카페 가지 말라. 만약 제자들이 졸업장 말고 대학에서 또 가져가야 할 단 하나의 아이템을 말해달라면, 나는 단연 '좋은 인간관계'를 고르겠다. 왜 감정 없는 반쪽짜리 로봇이 되려고 하는가? 컴퓨터를 끄고, 이어폰을 빼고, 온몸을 던져 사람들 사이에 그대를 내던져라.

# 그대의 선생을 찾아가라

지금의 대학은 과거보다 대단히 발전했다. 학생에서 교수로 그 처지가 바뀐 나의 편견을 차감하더라도, 대학이 수요자인 학생지향적으로 상당 부분 변했다. 시설은 좋아졌고, 교수는 더 열심히 가르친다. 굳이 양적으로 표현하자면 한국의 거의 모든 대학이 과거에 비해 '세계 랭킹'이 올랐다. 학생 입장에서는 더 양질의 교육을 받게 된 것이다.

대부분의 것들이 좋아졌다. 그러나 나빠진 것도 있다. 대표적인 것이 교수와 학생의 관계다. 이 글은 대학에 있는 내가 나의 제자들을 바라보며, 그들과 나의 관계를 돌아보며 쓴 것이다. 오늘도 내 방문을 어렵게 두드리는, 혹은 문밖에서 주저하다 돌아서는 모든 그대들을 생각하며.

과거는 지금보다 인간중심적인 사회였다. 사회변화의 속도도 지금보다 느렸고, 효율성에 대한 강박도 심하지 않아서 좋은 인간관계가 매우 중요했다. 비단 사제관계뿐 아니라 친구나 가족관계 등 모든 인간관계가 지금보다 매우 돈독했다.

그중에서도 스승과 제자의 관계란 전통적으로 매우 끈끈한 것이었다. 군사부일체(君師父一體)라 하여 스승은 아버지와 동격이었고, 맹자삼락(孟子三樂)이라 하여 좋은 제자를 가르치는 것은 선생에게도 필생의 기쁨이었다. 물론 '스승의 그림자도 밟지 않는다'는 식의 권위적 상하관계를 전제로 한 것이기는 했지만, 스승과 제자 사이의 유대는 지금보다 훨씬 깊었다.

더욱이 여기에는 우리나라만의 시대적인 배경도 한몫했다. 1980년대까지 우리의 대학은 쿠데타로 집권한 군부정권에 항거하는 투쟁의 진원지였다. 대학에서는 하루가 멀다 하고 시위가 벌어졌고, 대학생은 독재정권의 가장 큰 위협세력이었다. 오늘날의 민주주의는 대학에서 출발한 그 민주화투쟁이 성공을 거두었기 때문에 가능했다.

그래서 정권은 각 대학에 '학생지도'를 철저히 할 것을 강하게 주문했다. 말이 좋아 학생지도지, 정확히 말하면 '데모'를 하지 못하게 교수더러 막으라는 것이었다. 그래서 각 대학마다 '학생처'가 가장 예산도 많고 중요한 부서였다. 교수들은 자기 지도학생 중에 학생운동을 심하게 하는 친구가 있으면 집에까지 찾아가서 면담을 해야 했다. 하지만 대부분의 교수들 역시 심정적으로는 학생들 편이어서, 시위를 뜯어말리기 위해 강압하기보다는 공감하고 구조하려고 애썼다. 심지어는 학생이 시위하거나 싸우다가 파출소에 잡혀가면 밤중에 지도교수가 뛰어와서 신원보증을 서고 꺼내가는 사례도 흔했다.

이유야 어디에 있건, 그 당시에는 그래서 교수와 학생 간의 관계가 두터웠다. 교수들은 대다수 학생의 이름을 외웠고, 개인적인 고충과 가정사도 알고 있었다. 내가 대학에 다닐 때만 해도 매년 정초에는 교수님 댁에 세배 가는 것이 일이었다. 친한 친구들끼리 떼를 지어 교수님 댁에 몰려가면 사모님께서 맛있는 떡국과 처음 보는 양주도 주시고 해서, 이 집 저 집 돌아다니며 비교하는 것이 여간한 재미가 아니었다.

또 졸업할 때는 꼭 사은회라는 것을 했다. 선생님들을 모셔놓고 남학생은 양복, 여학생은 한복을 차려입고, 감사하다고 선물도 드리고 〈스승의 은혜〉 같은 노래도 부르는, 그런 행사다. 사실은 사은회 끝나고 클럽 같은 곳에서 신나게 노는 것이 더 관심사이기는 했지만, 그래도 명분은 선생님께 감사드린다고 모였다.

그러나 지금은 교수와 학생 사이의 인간적인 관계가 예전 같지 않음을 느낀다. 교수님 댁에 세배 가는 친구들도 거의 없다. 졸업 때는 조촐한 사은회 대신 교수가 참석하지 않는 성대한 졸업파티가 열린다.

아, 물론 오해 말기를. 나는 지금 세배 오지 않고, 사은회 열어주지 않는다고 투덜거리는 것이 아니다. 교수와 학생 사이가 소원해진 것은 전적으로 대학과 교수들의 책임이라는 말을 하려는 것이다.

물론 사회가 비인간화되면서 인간관계가 척박해졌고, 거기에 사제관계도 예외가 아니라는 사실을 부인할 수는 없다. 또 사회가 민주화되면서 교수들로 하여금 '학생지도'를 철저히 하라고 닦달하는 정권이 사라진 점도 한 이유일 수 있다.

하지만 학생과 교수 사이가 멀어진 가장 근본적인 이유는, 역설적이게도 대학이 '발전'했기 때문이다. 그 발전이라는 것의 기준이 도서관의 장서, 신축건물, 장학금, 교수의 연구능력 등 수많은 것을 포괄하고 있지만, 교수와 학생 간의 관계는 포함하지 않기 때문이다.

대학교수들, 과거보다 훨씬 바빠졌다. 그리고 열심히 산다. 내가 조교할 때 교수휴게실에는 꼭 바둑판이 있었고 쉬는 시간에 바둑 두는 교수님들 보는 것이 어려운 일이 아니었는데, 요새는 학교에서 바둑 두는 교수를 보기 힘들다. 다들 바빠서 바둑 둘 여유와 시간이 없다. 문제는 바둑만 못 두는 것이 아니라, 학생들과 만나고 부대낄 시간조차 없어졌다는 사실이다.

요새 교수들은 무엇이 그리 바쁜가? 주로 연구와 봉사활동이다. 승진과 연봉산정의 결정적 요소인 교수평가에서 가장 핵심은 연구실적이다. 외국의 좋은 저널에 논문을 몇 편 실었느냐를 가지고 젊은 교수들은 재임용이, 나이 든 교수들은 연봉이나 성과급 액수가 결정된다. 혹은 무슨 위원회나 학과장, 입시관리 같은 보직이나 봉사활동의 점수도 크기 때문에 대부분의 교수들은 이 두 가지로 눈코 뜰 새 없이 바쁘다.

요즘 강의평가를 하는 대학이 많이 늘었지만, 아직은 평가에 그칠 뿐 업적평가에서 큰 비중을 차지하지는 않는다. 그러니 교수가 시간을 들여 강의를 재미있고 충실하게 준비할 유인이 별로 없다. 물론 교수들이 강의에 전적으로 무관심한 것은 아니다. 기본적으로 가르치는 욕심이 있는 사람들이기 때문에 강의를 더 잘하려고 노력하는 이가 꽤 있다. 하지만 기본적으로 평가에 비중 있게 반영되지 않기 때문에 강의보다는 연구와 봉사활동에 시간을 투자하는 것이 '현명한 처신'이다. 그래서 대다수의 교수들은 되도록 적게 강의하려 들고, 하더라도 준비하는 시간부담을 줄이려고 한다. 그러니 시간강사의 강의 분담이 늘고 전임교수가 하는 강의의 질은 떨어진다. 대학의 강의평가 결과를 보면 대개 시간강사보다 전임교수의 점수가 현저히 낮다. 강의 경험이 많은 교수의 평가가 나쁜 것은 이런 사정 때문이다.

교수의 기본 업무인 강의가 이럴진대, 학생과의 상담이나 개인적인 관계가 약해지는 것은 불을 보듯 뻔하다. 그러다 보니 각 대학의 세계 랭킹은 많이 올랐는지 모르겠지만 정작 그 안에서 생활하는 학생과 교수의 관계는 삐걱거리는 기계부품처럼 변해버렸다.

어느 대학의 아는 교수님 한 분이 학사경고를 연속으로 받아 퇴학처분을 받은 학생을 면담한 얘기를 들려줬다. 원래 학사경고를 받으면 지도교수와 면담해야 하는 규정이 있다. 그런데 교수가 워낙 바쁘니까 과사무실에서는 처음 학사경고를 받았을 때 교수 목도장을 찍어 면담한 것처럼 서류를 만들었단다. 두 번째 학사경고를 받았을 때는 지도교수가 연구년 중이어서 국내에 없었다. 다른 교수라도 대신해서 면담해야 했겠지만 아무도 그렇게 해주지 않았단다.

결국 세 번째로 경고를 받아 퇴교가 확정되고 나서야 지도교수를 만나게 됐는데, 한참 얘기하다 보니까 이 친구가 눈물을 철철 흘리면서 "이렇게 교수님과 오래 이야기한 것은 대학 들어와 처음"이라며, 진즉 이렇게 상담을 했더라면 최악의 사태는 막을 수 있었을 텐데 하고 아쉬워했다고 한다. 착잡하지 않은가? 이런 대학이 세계 랭킹 몇 등 오른들 좋은 대학이라고 할 수 있겠는가?

더구나 요즘에는 많은 대학의 모집단위가 광역화돼 있다. 교육부나 대학본부는 학생들의 선택권을 넓혀준다는 명분으로 학부제를 실시해, 큰 모집단위로 뽑고 나서 2학년 때 전공을 정하게 한다. 그러나 내가 보기엔 부작용이 더 많은 제도인데, 그중에서도 가장 큰 문제는 안 그래도 데면데면한 교수와 학생 관계를 더 멀어지게 한다는 것이다.

특히 1학년 때에는 학생과 교수의 교류가 거의 없다. 교수의 지도가 가장 많이 필요한 시기인데 말이다. 교수 입장에서는 1학년에게 별 관심이 없다. 내 학과의 학생이 될지 안 될지 모르기 때문이다. 2학년 때 전공 진입을 하고 나서야 학생들에게 관심을 갖기 시작한다. 학생들 입장에서도 1학년 때에는 자기 전공이 정해져 있지도 않고 따라서 전공수업을 거의 듣지 않기 때문에 교수와 접촉할 일이 별로 없다.

요즘 대학생들은 외롭다. 예전의 대학은 동문회나 동아리 같은 모임이 많고 유대도 강했다. 생활도 하숙집에서 룸메이트와 함께했다. 기쁨을 나누고 고민을 상의할 상대가 많았던 것이다. 하지만 요즘 대학생은 학원 다니고 스펙을 높인다며 학교 활동에 거의 참여하지 않고, 주거도 주로 원룸에서 혼자 한다. 상담하고 멘토링할 필요는 훨씬 커졌는데, 그것을 해줄 사람은 거의 없어진 것이다.

이처럼 교수들이 학생을 지도해야 할 필요와 당위는 커졌는데 현실은 더 나빠지고 있다. 이러한 변화를 물론 교수들의 책임으로만 돌리기는 어렵다. 교수는 교수대로 학교의 요구에 따라가기 버겁고, 학생들은 학생들대로 교수들이 가뜩이나 어려운 존재인데 바쁘기까지 하니, 교수와 학생이 개인적인 문제로 상담한다는 것은 엄두조차 내기 어려워진 것이다. 교수들은 학생들이 찾아오지 않는다고 하고, 학생들은 교수들이 만나주지 않는다고 한다. 악순환이다.

어떻게 하면 이 악순환을 개선할 수 있을까?

미안한 말이지만, 학생들이 먼저 시작해주는 것이 좋을 것 같다. 먼저 할 일은 학교나 교육당국에 '선생님'을 돌려달라고 요구하는 일이다. 교수가 연구나 봉사뿐 아니라, 강의와 상담을 통해 전인적 교육의 실질적 담당자가 되도록 해달라고 말이다. 강의와 상담을 잘해주고 동아리의 지도를 기꺼이 맡아주는 교수들이 어떤 형태로든 그 보상(꼭 금전적인 의미가 아니다)을 받도록 현실적인 제안을 해야 한다.

하지만 이렇게 제도를 바꾸기 전에 교수와 학생의 관계를 개선할 수 있는 즉각적이고 효과적인 방법이 있다. 교수에게 자주 찾아가는 것이다.

아무리 연구와 봉사의 독촉에 시달리더라도, 교수는 교육자다. 대부분의 교수들은 아직도 스스로를 '선생님'이라고 여긴다. 학문에서든 인생에서든 말이다. 아주 드문 예를 제외하고는, 먼저 찾아와 인사하고 안부를 전하며 고민을 털어놓는 학생을 내쫓을 교수는 거의 없다.

고백하건대, 교수들은 생각보다 수줍다. 학생들에게 먼저 다가가기 어려워한다. 그러니 학생이 먼저 교수를 찾는 수밖에 없다. 찾아가 진솔하게 대화의 창을 열면 교수들이 오히려 반가워할 것이다.

미국의 많은 대학이 여름방학 3개월간 교수들에게 월급을 주지 않는다. 하지만 우리나라 대학은 방학에도 월급을 준다. 나는 그 이유가 방학 때 강의를 하지 않더라도 학교에 종종 나와서 학생들과 만나라는 의미라고 생각한다. 연구는 집에서도 할 수 있을 테니 말이다.

그러니 이제 어려워하지도, 미안해하지도 말고, 그대의 선생을 찾아가라. 학식과 경험을 겸비한 그대 인생의 멘토가 바로 위층에 저렇게 많은데, 왜 혼자서 그렇게 고민하고 어쭙잖은 선배들에게 미숙한 조언을 구하려 하는가? 사회와 대학이 끊어놓은 사제의 연을, 이제 그대가 먼저 나서서 이을 때다. 주저하지 말고 그대의 선생을 찾아가라.

# 비린 듯 산뜻한 잉크 냄새로 아침을 맞으라

젊은 친구들에게 '내가 너희 때는 이랬는데, 요즘 젊은이들은 왜 그렇게 하지 않는지 모르겠다'는 식의 훈계를 하는 것은 정말이지 질색이다. 모든 세대는 각각 자기 시간의 인식 틀을 가지고 살아가는 것이기에, 자신의 경험을 다른 세대에게 강요하는 것은 무척 위험하다. 더구나 자신의 과거에 대해서는 누구나 한없이 관대해진다. 이렇게 미화된 기억에 토대를 두고, 치열하게 살아가는 후배들에게 이래라 저래라 하는 것은 당치 않다고 여긴다. 정말이다.

그럼에도 그대들에게 하고 싶은 당부가 하나 있다. 신문을 읽으라는 것이다.

요즘 친구들은 대부분 종이 신문을 읽지 않는다. 뉴스와 정보는 인터넷이나 TV를 통해 얻으면 되지 굳이 신문을 읽을 필요는 없다고 생각하는 것 같다. 기성세대들은 어른이 되고 나서 디지털 매체를 익히기 시작한 '디지털 이주민'인 반면, 요즘 젊은 세대는 어릴 때부터 익숙하게 디지털 매체를 사용해 온 '디지털 원주민'이다. 그러니 종이라는 매체보다 모니터라는 매체를 훨씬 더 익숙하게 생각하는지도 모르겠다.

디지털 이주민의 푸념이 아니라, 인생 선배의 충언으로 말한다. 신문을 읽어보라. 신문은 그대가 '원하는' 정보를 넘어, '알아야 할' 정보를 가장 저렴하고 효율적으로 제공하는 매체다.

물론 인터넷 포털에 주요 일간신문의 기사들이 모두 실린다. 한 신문만 읽는 것보다 포털에서 이것저것 클릭하는 것이 다양한 견해와 정보를 얻는 데 더 유익한 것처럼 보인다. 하지만 그렇지 않다. 한 신문을 정독하는 것이 포털의 여러 기사를 검색해 읽는 것보다 훨씬 장점이 많다.

인터넷뉴스의 근본적 문제는 '자기주도적' 정보검색에 의존한다는 점이다. 우리는 포털 화면에 올라 있는 수많은 기사제목 중에서 재미있을 것 같은 기사를 클릭해 해당 내용을 읽는다. 읽을 내용을 자기가 결정한다는 의미에서 인터넷 검색은 자기주도적이다. 자기주도적 검색의 가장 큰 문제는 자기가 재미있다고 생각하는 주제에 대한 정보만 접하게 된다는 것이다.

그 결과는? 편협한 정보만을 접하게 된다. 많은 사람들이 딱딱하고 답답한 정치사회 이슈보다는 연예나 오락, 스포츠 뉴스에 관심이 많다. 연예인 커플의 만남과 헤어짐의 과정은 친구들에게 브리핑을 해줄 정도로 소상히 알면서도 정작 자신에게 정말 중요한 정보, 예컨대 한-중 FTA 체결이 자신의 취업전망에 미치게 될 영향에 대해서는 깜깜해지는 것이다. 이 점을 깨닫고, 나는 포털 메인 페이지를 내 컴퓨터 화면에서 지웠다.

이러한 정보의 편협성은 구조적인 것이다. 뉴스를 제공하는 많은 종이 신문사들이 포털에서 많은 클릭을 받기 위해 되도록 선정적인 이슈를 위에 올린다. 중요하지만 재미가 없는 정보는 접하기까지의 과정이 험난하다. 또 특정 분야의 기사를 클릭하는 순간, 주위는 온통 '관련 기사'들로 채워진다. 이 관련 기사는 생각하기에 따라서는 편리하지만, 특정 분야로 기사의 범위를 한정시켜버리는 결정적 단점이 있다.

반면 신문에는 내가 관심 없는 정보일지라도 일단 종이 가득 실려 있기 때문에, 요즘 무엇이 중요한 이슈인지 쉽게 알 수 있게 해준다. 그렇기 때문에 비록 자세한 내용은 읽지 않고 지면을 넘기더라도 기사의 제목이나 면 구성을 훑깃 넘겨보는 것만으로도 상당한 맥락적 정보를 얻을 수 있다.

또한 신문은 중요성에 비추어 다루는 기사의 양을 조정하므로, 얼마나 많은 지면을 차지하고 있는가를 보며 해당 이슈의 중요성을 알 수 있다. 인터넷 뉴스에 달리는 댓글이 이와 비슷한 기능을 하지만, 알다시피 댓글은 선정적인 이슈에 더 많이 달린다.

나는 트렌드를 추적해야 하는 직업의 특성 때문에 인터넷, 책, 논문집, 주간지, 월간지, 계간지, TV, 라디오 등 수많은 매체를 접한다. 하지만 이 모든 정보원 가운데 필요한 정보를 가장 효율적으로 주는 것은 단연 신문이다. 신문은 투자하는 시간에 비해 가장 유용하고 많은 정보를 준다. 그대들에게도 마찬가지일 것이다. 많은 이들이 취업준비를 위해 시사와 교양을 따로 준비하고 있는 것으로 안다. 신문을 꾸준히 읽으면 그 준비도 대폭 덜 수 있다.

그리고 신문의 영향력이 예전 같지 않다고는 하지만, 여전히 정부와 기업의 의사결정자들은 대부분 신문에서 정보를 얻는다. 그대가 조직의 의사결정자를 꿈꾸고 있다면, 아니 최소한 '주류'의 흐름을 간파하려면 그들의 정보 원천과 그를 바탕으로 한 사고의 논리를 알아야 할 필요가 있다.

신문을 처음 읽을 때는 익숙하지 않아서 불편하고 재미없다. 하지만 꾸준히 구독하여 신문 고유의 매체적 특성에 익숙해지면 나름 아날로그적 기쁨도 느낄 수 있다. 그러니 적어도 한 종류의 신문을 정해두고 꾸준히 정독하라. 요즘에는 신문사 별로 논조가 극명하게 다르므로, 대조적인 견해를 싣는 신문 두 종류 정도를 함께 읽는다면 더욱 좋을 것이다.

미디어가 곧 메시지다. 그대가 어떤 정보를 얻는가 하는 것만큼이나, 어떤 매체로 정보를 받아들이느냐도 중요하다. 약간 비린 듯하면서도 산뜻한 신문잉크 냄새로 아침을 여는 청춘들이 많아졌으면 좋겠다. 신문은 여전히 힘이 세다.

# 글은 힘이 세다

그대가 마지막으로 글을 쓴 것은 언제인가? 미니홈피 같은 데 올린 몇 줄짜리 조각글 말고, 기승전결을 갖춘 온전한 한 편의 글을 또박또박 적은 기억은 언제가 마지막인가?

그대가 어떤 일을 하든 반드시 익혔으면 하는 단 하나의 역량을 들라면, 나는 주저 없이 글쓰기 능력을 들고 싶다. 요즘엔 대학입시에 논술과목이 있어서 고등학교 때 글쓰기 훈련을 하고, 대학마다 교양과목에 글쓰기나 작문 과목이 있기 때문에, 많은 이들이 어느 정도 글을 쓴다. 하긴 유치원 때부터 한글을 배워왔으니 글 쓰는 교육을 받으라는 것이 새삼스럽기도 하겠다. 하지만 '제대로' 혹은 '충분히 잘' 글을 쓰는 사람은 많이 보지 못했다.

흔히 글을 잘 쓰는 것은 작가나 학자의 덕목이지, 본인하고는 별 상관이 없다고 생각하는 사람들이 많은 것 같다. 특히 이공계나 예술계 쪽이라면 더욱 그렇다. 하지만 그렇지 않다. 오히려 언뜻 글과 멀어 보이는 전공자가 글을 잘 쓰면 대단한 시너지 효과를 낸다.

많은 젊은이들이 존경하는 긴급구호 활동가 한비야 씨가 좋은 예다. 그는 35세에 잘 다니던 직장을 그만두고 7년간의 세계 여행길에 올랐다. 비행기를 거의 이용하지 않고 육로로 이동하며 오지를 찾아다녔다. 오지에서 만난 사람들과 교감하며 그들의 문화를 이해하려고 노력했다. 그는 훌륭한 여행가다. 하지만 여기까지라면 그는 단지 평범한 여행가에 그쳤을 것이다.

우리가 한비야 씨를 알게 된 것은 책을 통해서다. 《바람의 딸 걸어서 지구 세 바퀴 반》이라는 책이 나오면서 비로소 이런 용기 있는 여성이 있다는 것을 알게 됐다. 이 책은 단지 베스트셀러가 되어 돈을 벌고 그를 유명하게 해준 데 그치지 않았다. 재해와 분쟁지역에서 어려운 사람을 돕고 싶다는 그의 꿈을 훨씬 쉽게 가능하도록 해줬다. 월드비전 긴급구호팀장을 맡게 됐고, 'YMCA 선정 지도자상'을 받았으며, 환경재단이 선정한 '세상을 밝게 만든 100인'에 뽑혔다.

물론 그가 현란한 글솜씨만으로 이런 업적을 이루어낸 것은 아니다. 진정성이 담뿍 묻어나는 행적이 있었기에 그러한 성취가 가능했을 것이다. 하지만 만약 그의 글솜씨가 아주 형편없어서 그런 책을 출간할 엄두를 내지 못했더라면, 그냥 이리저리 돌아다니는 한낱 여행객에 지나지 않았을지도 모른다. 진정한 봉사가 그를 만들었다면, 글쓰기는 그를 우리에게 알린 것이다.

비단 한비야 씨뿐이 아니다. 생물학자 최재천 교수, 동양미술가 김병종 교수, 첼리스트 장한나 씨처럼 자기 전공에서 일가(一家)를 이룬 대가들이 명쾌한 언어로 자신의 생각과 감정을 표현할 때, 그 울림은 예사롭지 않다. 또, 대가들만이 울림을 주는 것도 아니다. 평범한 농부나 요리사, 선생님들도 자기 직업에서 느끼는 삶의 여러 가지 단면들을 소박한 글에 담아 우리의 마음을 두드릴 때도 많다.

이러한 감동도 감동이지만, 글쓰기가 필요한 더 큰 이유는 따로 있다. 자신을 가장 설득력 있게 표현하고 알리는 데 글만 한 것이 없기 때문이다. 그러니 비단 소설가들에게만 좋은 글쓰기가 필요한 것이 아니다. 바로 그대에게 가장 필요한 능력이다.

글은 여러모로 힘이 세다.

그렇다면 어떻게 글쓰기 능력을 기를 수 있을까? 나는 글쓰기에 관심이 많아서 오랫동안 이 문제를 고민해왔다. 물론 지금도 내가 글을 아주 잘 쓰는 것은 아니다. 하지만 부단하게 고민하고 노력해왔기에 이런 책이나마 쓸 수 있게 됐다. 조금이나마 도움이 될까 싶어, 잠시 내 이야기를 할까 한다.

대학생 때 나는 글을 잘 쓰고 싶었다. 좋아하던 여학생 때문이었다. 이메일이나 휴대폰 같은 것이 없던 시절이어서, 주로 손으로 꾹꾹 눌러 쓴 편지에 내 마음을 담아 보냈다. 그 여학생은 나의 편지공세에도 마음을 열어주지 않았는데, 그럴수록 간절하게 소망한 것이 '사람의 마음을 움직일 수 있는 글을 쓰는 능력'을 갖고 싶다는 것이었다. 그는 결국 다른 남자의 여자가 됐지만, 글을 잘 쓰고 싶다는 열망은 그때 내 마음에 깊이 남았다.

그가 떠나고 더 이상 연애편지를 쓸 이유는 없어졌지만, 좋은 문장으로 글을 쓰고 싶다는 열망은 더 강해졌다. 글을 잘 쓰고 싶다고 간절하게 열망했다는 것, 이 점이 무척 중요했다. 사실 초등학교만 나와도 누구나 글을 쓸 수 있다. 그러나 대학에 석사까지 마친다고 해도 글을 잘 쓸 수 있는 것은 아니다. 시간과 노력을 끊임없이 투자해야 한다. 결코 쉽지 않은 일이다. 정말 강하게 소망하지 않는다면 내가 했듯이 따로 시간과 노력을 투자하기는 어렵다. 언제나 소망이 우리를 움직이게 한다.

그 이후 좋은 글을 써보려고 많은 노력을 기울였다. 우선 시를 외웠다. 그 당시 집에서 학교까지 1시간가량 버스를 타야 했는데, 작은 카드에 시를 한 편씩 적어 넣고 버스 안에서 그걸 외웠다. 시인들의 글 솜씨가 내게 녹아들기를 간절히 기원하면서……. 물론 나는 시인을 꿈꾼 적도 없고, 그 이후 내가 이렇다 할 시 한 편 제대로 쓴 적도 없다. 하지만 내 글에는 리듬감이 있어서 읽기 편하다는 칭찬을 간혹 듣는데, 그때 시를 외운 효과가 조금 남아 있는 것은 아닐까 혼자 생각한다.

나는 또 유명한 작가의 글을 끊임없이 옮겨 적었다. 그때의 버릇이 남아 지금도 문체가 좋은 글을 보면 이면지에 그대로 옮겨 적어본다. 컴퓨터로 치면 안 된다. 문장의 호흡을 길게 외워서 종이에다 펜으로 꾹꾹 눌러서 베껴 적으면, 그 작가의 스타일이 내 가슴속에 그렇게 꾹꾹 흔적으로 남을 것만 같아서, 그렇게 한다.

내가 가장 흉내 내고 싶었던 스타일을 가진 작가는 황순원이었다. 유학생활을 마치고 귀국하고 나서, 명사와 조사만 조합해 문장을 이뤄가는 영어식, 번역투의 내 문체를 고쳐보려고 그의 소설집을 거의 다 옮겨 적은 적도 있다. 이 방법은 제법 효과가 있었다. 처음에는 단지 흉내

내는 것에 그치지만 시간이 지나면서 조금씩 체화되기 시작하고, 알게 모르게 글이 좋아지기 시작한다.

요즘 가장 흉내 내고 싶은 작가는 김훈이다. 간결하면서도 명징하고 힘 있는 그의 문장을 닮고 싶다. 마음 같아서는 《칼의 노래》 같은 책을 통째로 다 옮겨 적어보고 싶은데, 시간이 없어서 그렇게 하지는 못해도 그의 문투를 흉내 내려는 시도는 자주 한다. 쉽지 않다. 내공이 보통이 아닌 작가라는 생각을 새삼 한다.

내가 이나마 글을 쓸 수 있는 것은 재능이 아니라 지독한 연습의 결과다. 사실 대학 초년까지 내 문장력은 형편없었다. 2학년 때엔가 교내 신문사가 주최하는 문학상에 '콩트' 부문이 새로 생겼기에 응모했던 적이 있다. 시나 소설은 감히 엄두도 못 내고, 분량이 짧고 반전이 중요한 콩트에서는 부족한 문장력이지만 어떻게 버틸 수 있지 않을까 하고, 내심 기대했던 것이다.

결과는…… 처참했다. 그냥 상을 받지 못한 정도가 아니었다. 내 글을 암시하면서 "도저히 문장의 기본도 되지 않는 글조차 투고되어 대학 문학상의 수준이 이렇게까지 떨어졌는가 하는 참담한 기분이 들었다."는 심사소감이 적혀 있었다. 그걸 읽는 나는 더 참담했다. 이 일을 계기로 나는 문필을 직업으로 삼는 것을 깨끗이 포기했다.

그래도 좋은 글을 쓰고 싶은 욕심까지 포기한 건 아니다. 아직까지도 여전하다. 학위를 마치고 나서부터 영어단어장은 더 이상 만들지 않지만, 우리말 단어장은 지금도 적는다. 좋은 표현, 모르던 사자성어나 속담, 뜻은 알지만 실제로 글에 구사하지는 못했던 단어 등을 적는다. 글쓰기에 관심이 있는 사람이라면, 반드시 우리말 단어장을 가지고 다녀야 한다고 생각한다.

그리고 좋은 글쓰기 관련 책이나 기사가 나오면 항상 메모하고 스크랩해둔다. 개인적인 판단으로는 중앙일보 배상복 기자와 한림대학교 심훈 교수의 책이 특히 좋은 것 같다.

다른 모든 것과 마찬가지로, 글도 절대로 그냥 좋아지지 않는다. 꾸준한 관심과 연습을 통해서만 실력이 는다. 이 글을 읽는 그대가 '나도 글을 잘 쓰고 싶다'는 생각을 한다면, 따로 시간을 내어 공부하고, 연습하고, 외우고, 베껴 적기 바란다.

요즘 젊은 세대들이 글을 전혀 쓰지 않는 것은 아니다. 블로그나 미니홈피 등, 자기 글을 타인에게 발표할 수 있는 개인 매체는 과거보다 오히려 많이 늘어났다. 하지만 문제는 젊은 세대들의 글쓰기가 이런 매체에 최적화되면서, 호흡이 짧아지고 논리가 무너지는 좋지 않은 글을 자꾸 쓰게 된다는 데 있다.

책 한 권 쓸 수 있을 만큼의 작가 같은 글솜씨를 가지라고 말하는 것은 아니지만, 그렇다고 키보드를 두드린다고 모두 글이 되는 것은 아니라는 사실쯤은 알아야 한다. 적어도 조리 있게 자신의 생각을 표현해서 다른 사람을 설득시킬 수 있는 글은 쓸 줄 알아야 한다. 그대가 무슨 일을 하든 말이다.

글을 잘 쓴다는 것은 단지 표현의 문제가 아니다. 글을 잘 쓰려면 생각에 깊이가 있어야 하고, 논리와 구성이 탄탄해야 한다. 글을 잘 쓸 수 있으면 논리적으로 사고하고 설득력 있게 자기를 표현할 수 있다. 이는 사회생활을 할 때 가장 필수적이고 중요한 능력이다.

그러므로 각별한 관심을 가지고 특단의 노력을 기울여 좋은 글을 쓸 수 있는 역량을 키워라, 그대가 어떤 전공을 하고 있든.

글은 여전히 힘이 세다.

# 네 이웃의 지식을 다양하게 탐하라

내가 대학에서 학생들을 가르치면서 깨달은 것이 두 가지 있다. 첫째, 세상에는 정말로 다양한 전공이 존재한다는 사실, 둘째, 그 다양한 전공의 사회적 중요성은 보통 사람들이 상식적으로 생각하는 것과는 많이 다르다는 사실이다.

첫째, 세상엔 정말로 많은 전공이 있다.

요즘엔 대학마다 학과별보다는 광역화된 모집단위별로 입시를 치르기 때문에 보통 사람들은 잘 모르는 경우가 많지만, 대학에는 학과가 참 많다. 더구나 요새는 오래된 학과 이름을 새로 짓기도 하고 시대의 변화에 따라 학과의 정체성을 바꾸기도 해서, 새로운 명칭의 다양한 학과가 많이 생겼다. 특성화된 학과가 많은 전문대학에는 스마트폰 학과, 통합예술치료과 같은 학과도 있다.

하나의 학과라고 해서 하나의 전공이 존재한다고 생각하면 큰 오산이다. 같은 학과 안에도 정말 다양한 전공들이 공존한다. 의류학과를 예로 들어보자. 흔히 의류학과라고 하면 옷 만드는 학과이니 패션 디자이너를 양성하는 곳이라고 속단하기 쉽지만, 자세히 들여다보면 디자인 전공은 일부에 지나지 않는다. 옷을 만들려면 디자인에 앞서 몸에 맞도록 치수를 재고 패턴을 만들어야 한다. 이것을 의복 구성이라 하는데, 디자이너에게 예술적 감각이 필요하다면 패터닝(patterning)에는 통계와 수치 감각이 핵심이다.

또 옷은 무엇으로 만드나? 섬유로 만든다. 면, 실크, 폴리에스터 등 섬유에도 종류가 참 많은데 이런 특성을 파악하려면 화학을 비롯해 과학을 잘해야 한다. 실제로 의류학과에는 섬유 전공 내에서도 재질이나 세척만 연구하는 이학박사나, 인체에 대한 기능섬유만 연구하는 의학박사도 있다.

옷을 만들었으면, 이번엔 팔아야 한다. 의복은 매우 독특한 성격을 가진 상품이기 때문에 의류상품학 전공이 따로 있고, 패션마케팅 전공도 인기다. 또 사극을 보면 옛날 옷에 대한 고증이 논란이 될 때가 많다. 이때 나타나는 분들이 복식사(服飾史) 전공자다. 옷의 역사를 연구하는 역사학자다.

그러니까 전공의 학문적 배경으로만 본다면 의류학과에는 예술가(디자인), 통계학자(패터닝), 과학자(섬유), 의학자(기능섬유), 마케터(패션마케팅), 역사학자(복식사) 등이 한데 모여 있다고 할 수 있다. 이런 현상이 의류학과에만 나타나는 독특한 현상이 아니다. 대다수의 학과가 이런 식이다. 수학과에서는 옆방 교수가 무슨 연구를 하는지 알아듣지도 못한다는 교수들끼리의 우스갯소리가 있을 정도다.

조금 과장해서 말하자면 대학에는 교수의 수만큼의 전공이 있다고 할 수 있다. 아니, 학과장 회의 같은 곳에 가보면 학과마다 '우리는 이런 전공 선생님이 없어서 문제'라고 다들 불만이 많으니까, 대학에는 교수 수보다도 훨씬 더 많은 전공이 존재한다고 보면 된다.

전공이 이처럼 다양하다 보니, 똑같은 학과를 졸업하더라도 활동할 수 있는 영역이 매우 다양하다. 여기에 복수전공을 택해서 2~3개의 전공을 하게 된다면, 졸업 후 설계할 수 있는 활동영역의 범위는 무궁무진하다고 할 것이다. 그런데도 특정 학과나 전공에 대해 많은 사람들, 심지어는 대학생들조차 편협한 선입견을 가지고 있는 것 같다.

둘째, 이처럼 다양한 각 전공이 나름대로 사회적 기여를 하고 있는데, 그 양상은 사람들이 일반적으로 생각하는 것과는 많이 다르다.

예를 들어 사범대학에서 교사만 양성하는 것은 아니다. 내가 아는 국어교육과 교수 한 분은 각종 외국어에 매우 능통하고 외국출장도 굉장히 자주 나간다. 국어교육에 외국어와 해외출장이 왜 필요한 건지 솔직히 이해가 되지 않았는데, 알고 보니 그분이 개척한 전공은 '어떻게 하면 외국인에게 한국어 교육을 효율적으로 할 수 있을 것인가' 하는 것이었다. 다들 알다시피 대한민국의 국력이 높아지고 한류가 세계 각국으로 전파되면서, 한국어 전공을 설치하겠다는 외국 대학이 폭발적으로 늘고 있다. 이분은 이런 외국 대학의 한국어 교육과정 설립을 지원하고 계신 것이다. 몸이 열 개라도 모자랄 지경으로 바쁘다고 했다. 국어교육과 외국어 실력이 만나면 어떤 시너지가 생겨나는지를 보여주는 좋은 예라고 생각한다.

그런가 하면 사람들은 전공에 서열이 있다고 생각하는 것 같다. 그 서열이란 대체로 대학 입시 때 사설 학원에서 만드는 배치표 상의 '커트라인'에 의해 매겨진다. 하지만 학문의 사회적 기여도와 중요성은 이런 식의 학과 순위와는 아무런, 정말 아무런 관계가 없다. 사회적으로 어떤 전공이 얼마나 중요하냐는, 전적으로 해당 학문에 대한 수요와 공급에 의해 결정된다. 사회에서 많이 필요로 하는데 공급되는 전공자가 부족하면 '뜨는' 학문이고, 사회의 수요보다 더 많은 전공자가 배출되면 '지는' 학문이다. 이 간단한 수요–공급의 원리를 많은 사람들이 간과하고 있다.

언젠가 대학입시 면접을 보는데, 모집단위와는 전혀 상관없는 장래 희망을 이야기하는 친구가 있었다. 그래서 왜 이 학과에 지원했느냐고 물었더니, "나중에 전과하려고 합니다."라고 대답해서 면접진을 황당하게 만든 적이 있었다. 솔직한 건지, 눈치가 없는 건지…….

대학과 사회의 사정에 어두운 고등학생이 그렇게 오해하는 것은 그나마 이해할 수 있다. 하지만 대학을 4년 이상 다니는 학생들조차 입학할 때의 커트라인 서열에 따라 전공과 학과를 평가하는 친구가 있으니 참으로 한심한 일이다. 아직도 '고3 마인드'에서 벗어나지 못한 것이다.

실제로 2~3학년이 되면 전과를 신청하는 학생이 학과마다 꽤 있다. 물론 여러 가지 사정으로 학과가 적성에 전혀 맞지 않는다면 불가피한 선택일 수도 있을 것이다. 하지만 전입–전출 면접을 보다 보면 적성의 문제가 아니라, '학벌세탁'의 방편으로 학과를 바꾸려는 친구들을 적지 않게 볼 수 있다. 조금이라도 더 커트라인이 높은 인기 학과를 나왔다는 졸업증서가 취업에 도움이 될 것이라고 생각했는지는 모르겠지만,

내가 보기에는 참으로 비효율적인 결정이다. 아, 오해는 없기를. 내 학과의 학생이 다른 학과로 빠져나가는 것이 샘나서 그러는 것이 아니다. 다른 학과 학생이 우리 과로 오겠다고 할 때에도 똑같은 생각을 한다.

이런 일부 친구들의 머릿속에서 대학의 전공이란 매우 서열화돼 있어서, 좀 더 '높은' 학과의 졸업장을 받고 싶다는 생각이 강하다. 스펙 확보를 위한 전략일 수도 있고, 주위의 시선 때문일 수도 있고, 막연한 열등감 때문일 수도 있다. 전형적인 '고3 마인드'다.

하지만 앞서 강조했듯, 현대 학문의 중요성은 이런 서열에 의해 움직이지 않는다. 변화하는 사회적 수요에 맞춰 자기 전공을 유연하고 적응력 있게 관리하는 것이 그저 '커트라인 높았던' 학과의 졸업장보다 실제적으로 취업에도 유용하다. 그런데 '고3 마인드'로는 이 점을 이해할 수 없다.

여기에는 전공과 직업의 관계에 대해 많은 이들이 갖고 있는 강한 선입관도 한몫하는 것 같다. 예를 들자면, 기자가 되려면 신문방송학과에, 변호사가 되려면 법학과에, 외교관이 되려면 정치외교학과에 가야 한다고 믿는 식이다. 반드시 틀린 생각은 아니지만, 이 역시 매우 폭 좁은 생각이다.

신문방송학을 전공해야만 기자가 될 수 있는 것은 아니다. 오히려 자연과학을 전공하고 기자가 된다면, 실력 있는 과학전문기자로 성장할 가능성이 더 클 것이다. 실제로도 언론사에서 기자나 PD를 채용할 때 신문방송학 전공자만 뽑지는 않는다. 훌륭한 변호사가 되기 위해서 법학지식은 필수이겠지만, 예컨대 가족학을 전공했다면 독보적인 가족문제 전문변호사가 될 확률이 더 높을 것이다.

현대는 통섭과 융합의 시대다. 그렇기 때문에 다양한 지식을 흡수하며 시대의 요구에 맞는 '자기만의 이야기'를 만들어가는 것이 학벌이나 스펙보다 중요하다. 그런데도 학벌의 열등감을 전과를 통해 치유하겠다고 황금같은 시간을 허비하는 이들을 보면 안타깝기 그지없다. 그럴 것이면 차라리 목표하는 학과의 대학원으로 진학하라.

자기 전공의 가치에 대해 그대는 얼마나 알고 있는가? 지금의 전공과 다른 어떤 전공을 접목시키면 최대의 시너지가 날 수 있는가에 대해 얼마나 진지하게 고민해보았는가?

학문의 수요와 공급은 계속해서 바뀐다. 앞서 이야기한 것처럼 전공이 다양해지는 것은 현대 학문이 세분화되기 때문이다. 학문이 세분화되는 것은 사회가 전문화되면서 새로운 지식을 계속 필요로 하기 때문이다. 요즘에는 사회가 굉장히 빨리 변하기 때문에 완전히 새로운 수요가 발생하는 경우도 자주 있다. 그때마다 일일이 학과나 전공을 만들 수는 없기에, 대학은 학생들에게 복수의 전공을 이수해 새로운 학문을 받아들일 것을 장려한다. 부전공, 복수전공, 연합전공, 연계전공, 자기주도전공 등 이름도 종류도 다양한 제2, 제3의 전공을 이수할 수 있는 제도가 존재한다. 최근 등장한 자유전공학부는 이런 경향의 한 극단을 보여준다.

나는 학생들의 전과는 말리지만, 복수전공 등 다양한 전공을 섭렵하는 것은 적극 권한다. 다시 말하지만, 현대는 통섭과 융합의 시대이기 때문이다.

그대 이웃의 지식을 다양하게 탐하라. 전공의 서열 따위는 냉큼 집어 던져라. 지식에는 서열이 없다. 시대의 수요가 있을 뿐이다.

# 29,220피스의 퍼즐

우리 인생을 스포츠에 비유하는 경우가 많다. 극적인 승부가 있기 때문일 것이다. 야구든, 축구든, 복싱이든, 게임을 즐기다 보면 흐름을 바꾸어놓는 큰 승부처가 꼭 있다. 넉 점짜리 역전 만루 홈런이나, 인저리 타임에 나온 결승골, 혹은 필살의 카운터펀치 같은 것들 말이다. 인생에서는 대학입학, 취직, 결혼 등과 같은 큼직한 전환점이 삶의 흐름을 바꾸는 승부처일 테다.

하지만 스포츠 경기를 꼼꼼히 들여다보면, 승부를 뒤집는 그 '한 방'은 매우 작은 차이들이 쌓여서 만들어진다. 눈에 크게 띄는 승부처를 만들어내기 위해서는, 하루하루의 훈련과 준비가 수없이 모여야 한다. 훈련장에서의 미세한 차이들이 차근차근 모여 비등점을 기다리다가 경기장에서 한순간에 끓어오르는 것이다. 사실 우리가 겪어온 어떤 시험이든, 그 하루 시험장에서의 컨디션이 아니라 치열한 연습이 모여 결판나지 않던가.

그런 의미에서 나는 인생을 스포츠보다는 모자이크 퍼즐에 비유하기를 좋아한다. 큰 '한 방'이 아니라 작은 '하나하나'가 쌓여야 하는, 대략 29,220피스를 맞춰야 하는 커다란 퍼즐 말이다. 요즘 평균수명이 80세쯤 되니까, '365×80=29,200'이고, 여기에 2월 29일을 20번 더해서 나온 숫자다. 그대가 평균수명에 관심을 기울일 때쯤에는 의학이 훨씬 발달해 있을 테니 아마 3만 피스를 넘을 것이다. 인생이란, 하루라는 작은 조각을 맞춰서 커다란 그림을 만들어낸다는 점에서 퍼즐과 같다.

물론 차이점도 있다. 퍼즐은 어떤 그림으로 맞춰야 하는지 완성된 모습을 미리 보여주지만, 인생은 그렇지 않다는 것. 그 조각을 다 맞출 때까지 어떤 그림이 나올지 누구도 알 수 없다. 자기 자신은 더더욱.

많은 사람들이 빨리 성공하고 싶어 한다. 젊은 나이에 빨리 출세하는 것이 예로부터 최고의 소원이었다. 그래서 우리는 얼마나 빨리 가고 있는가를 점검하기 위해 자꾸만 시계를 본다.

하지만 시계보다 필요한 것은 나침반이다. 삶의 성공이란 퍼즐의 마지막 피스를 채웠을 때 판가름 나는 것이기 때문이다. 그렇기에 '얼마나 빨리 가느냐'보다 '올바른 방향으로 가고 있느냐'가 훨씬 중요하다.

나아가 나침반보다 더 필요한 것이 있다면 거울이다. '지금 내가 어떤 그림을 그리고 있는가'를 수시로 돌아볼 수 있어야 하기 때문이다. 하지만 사람들은 거울보다 나침반을, 나침반보다는 시계를 더 찾는다.

인생의 성공이란 커다란 한 번의 성취가 아니라, 매일매일의 작은 승부로 직조(織組)하는 것이다. 그러므로 획기적인 승부처, 전환점만을 기다리면서 하루하루를 낭비해서는 안 된다. 무능한 사람일수록 '이것만 되면, 이때만 오면……'이라는 가정을 자주 한다. 가정하지 말고 실행하라. 하루하루 조금씩 남는 삶의 빈틈에서 꽃을 피워라. 그 시간의 빈틈을 어떻게 쓰느냐에 따라 인생은 조금씩, 조금씩 달라진다. 시간은 영혼을 만드는 유일한 재료라고 했다.

인생에서 가장 하기 어려운 결심 중의 하나라는 담배 끊기도 마찬가지다. '1월 1일부터는 꼭 끊겠다'는 식으로 결의하는 사람은 대개 실패한다. 그것은 1월 1일에 끊겠다는 약속이 아니라, 12월 31일까지는 피워도 괜찮다는 자기 위안이기 때문이다. 대신 '딱 오늘 하루만이라도 담배를 참자'고 시작하는 사람들이 성공한다. 그렇게 작은 하루하루의 실천을 쌓아가면서 성공을 거두는 것이다.

그러므로 순간적인 깨달음을 기다리지 말고, 작은 실천을 먼저 행하라. 해결방법이 보이지 않는 문제가 앞에 있을 때 '어떻게 하지? 어떻게 하지?' 하고 고민하지 말라. '이걸 위해 오늘 내가 무엇을 할 수 있지?' 하고 고민하라.

누군가 이런 말을 했다. "어느 누구도 과거로 돌아가서 새롭게 시작할 수는 없지만, 지금부터 시작해서 새로운 결말을 맺을 수는 있다."

그렇다. 지금부터 그대의 새로운 그림을 그려나가라. 이 세상을 떠나는 날 보게 될 그대 인생의 커다란 그림을 생각하라. 오늘 하루 때문에 그 멋진 완성품의 한 구석이 듬성듬성 비어 있다고 생각하면, 너무 아깝지 않은가?

# 너무 바빠서 시간이 없다는 핑계에 대하여

대학원생이 되어 내 조교를 맡은 학생들이 하나같이 하는 말이 있다. 학부 때는 교수가 무척 한가한 직업이라고 생각했는데, 가까이서 보니까 무지하게 바쁘다는 것이다. 교수마다 다 같지는 않겠지만, 대개 그렇다. 다들 바쁘다.

내 입으로 말하기는 조금 겸연쩍지만, 난 그중에서도 더 바쁜 축에 속할 것 같다. 강의도 늘 많이 하고, 보직도 여러 가지 맡고 있다. 여기저기 시민단체와 연구모임, 학회에 참석하고, 프로젝트나 특강을 하다 보면 하루가 어떻게 가는지 모르겠다. 방학에도 항상 출근하고, 토요일과 일요일에도 대개는 연구실에 나온다.

건강관리를 좀 해야 하지 않느냐고 사람들이 안부를 물을 때마다 나는 버릇처럼 대답했다.

"네. 그렇긴 한데 너무 바빠 시간이 없어서요."

말만 그런 것이 아니라, 실제로 내 생활이 그렇다고 생각했다. 너무 바빠서 다른 일은 할 시간이 없다고. 적어도 박경철 씨의 인터뷰 기사를 읽을 때까지는 그랬다.

외과의사이면서 '시골의사'라는 별명으로 더 유명한 경제평론가 박경철 씨는 대단한 분이다. 그의 한마디에 수십만 명이 주식을 매매하고 통장을 바꾼다. 그런 만큼 그는 참 바쁜 사람이다. 매일 아침 2시간씩 라디오 방송, 주 1회 TV 프로그램을 진행하는 방송인이고, 신문과 잡지에 고정칼럼만 15개를 쓰는 칼럼니스트다. 전국을 누비며 해야 하는 강연이 월 평균 30건이고, 토요일엔 반드시 안동의 병원에 내려가 본업인 진료를 한다. 친구와의 오랜 약속 때문이란다. 더구나 그는 매년 1~2권의 책을 펴내는데, 그냥 가벼운 책이 아니라 항상 베스트셀러 목록에 오르는 깊이 있는 저서들이다.

비결이 뭘까? 한 사람이 하나도 제대로 하기 힘든 수준의 1인 4~5역을 소화한다. 그러면서도 날카로운 분석이 필요한 독서와 사색의 시간도 게을리하지 않는 것이 분명하다. 어떻게 그 많은 일을 한꺼번에 할 수 있는 것일까? 어느 잡지와의 인터뷰에서 그는 이렇게 말했다.

"2000년 0시를 기해 전 다섯 가지를 끊었습니다. 술, 담배, 골프, 유혹, 도박입니다. 이 중 금연이 마지막까지 잘 안 되더군요. 그래도 술 안 먹고 골프 안 하고 딴 마음 안 먹으니까 시간이 많이 남아요. TV는 원래 안 보았고요. 그 시간에 책 보고 글 쓰고 하는 거죠. 책은 하루에 한 권 정도 읽어요. 화장실, 이동하는 차 안 등 토막시간마다 책을 펼치죠. 매년 10월에 책 한 권씩 내는 게 목표이기 때문에 매일 200자 원고지 20~30장 분량의 글을 써서 저장해둡니다. 이렇게 생활하다 보면 1인 다역을 할 수 있어요. 제가 가장 싫어하는 말이 '시간 없다'입니다."

나는 특히 마지막 부분을 읽을 때 망치로 한 대 얻어맞은 것 같았다. "제가 가장 싫어하는 말이 '시간 없다'입니다."

우리는 왜 시간이 없을까? 박경철 씨 말대로 술 마시고, 골프 치고 (그대들의 경우에는 게임이나 인터넷 서핑에 해당할 것이다), 이런저런 유혹과 일시적인 이득에 관심을 가지느라 누군가는 저토록 알차게 사용하는 황금 같은 시간을 다 날려버리는 것이 아닐까?

적어도 나는 그랬다. 내가 시간이 없는 이유의 태반이 그런 것이었다. 인정한다. 허투루 흘려보내고, 그냥 때우는 시간이 수두룩한데도 '요새 너무 바쁘다'고 엄살을 떨어왔다.

지금 이 글을 읽는 그대는 어떤가? 혹시 '시간 없어서' 반드시 해야 할 일을 못하고 있지는 않은가?

'성공한 사람의 하루는 25시간, 실패한 사람의 하루는 23시간'이라고 했다. 인생을 어떻게 살았느냐는 별 게 아니다. 결국 하루 24시간을 어떻게 썼느냐의 문제다.

그래서 효율적으로 시간관리를 하는 데 도움이 될 만한 몇 가지 방법을 적어보고자 한다. 물론 앞서 말했듯 나도 시간관리를 아주 잘하지는 못한다. 그래도 스스로 시간을 통제해야 하는 교수라는 직업을 10년 넘게 하면서 터득한 노하우가 몇 가지 있어, 그 이야기를 간략히 들려드릴까 한다.

## I

## 시간관리란 목표의 함수다

흔히 시간관리를 잘한다고 하면, 치밀한 계획표를 짜고 그것을 잘 실천하는 것을 떠올린다. 하지만 그보다 앞서야 하는 것은 '무엇을 위해' 계획표를 짤 것인가, 즉 목적의식이 분명해야 한다는 것이다.

시간관리란 우선순위를 두는 것이다. 아무 일 하지 않는 것이 무조건 죄악은 아니다. 예를 들어 아플 때는 푹 쉬는 것이 다른 어떤 일보다 중요하다. 일단 건강을 되찾는 것이 최우선이기 때문이다. 영어공부 몇 시간, 운동 몇 시간 하는 식으로 기계적으로 구성하는 '계획을 위한 계획'은 의미도 없을뿐더러 중간에 포기하게 될 가능성도 높다.

그러므로 시간관리를 할 때 우선 구체적이고 분명한 목표를 세워라. 그리고 일의 우선순위를 정해라. 우선순위를 둔다는 것은 '무엇을 포기할 것인가'에 대한 결정이다. 이것도 중요하고, 저것도 중요하다는 식의 우유부단함은 삶의 방만을 부른다. 시간관리란 무엇인가를 용기 있게 포기하는 것이다. 그리고 그 포기는 분명한 목표가 있을 때 가능하다. 그러니 할 일을 결의하기에 앞서, 포기할 것을 먼저 정해라.

곁가지가 많으면 큰 나무가 되지 못한다. 시간관리도 이와 비슷한 맥락이다. 여기저기 곁으로 쓰는 시간이 많으면 큰 꿈을 이룰 수 없다. 봄이면 정원사들이 거침없이 가지치기를 해주듯, 우리의 시간도 냉정한 구조조정을 해줘야 한다.

## 2
## 의미 없는 습관으로 굳어진 취미는 청산하라

시간관리란 목표에 따라 우선순위를 두는 일이며, 우선순위를 정한다는 것은 무엇인가를 포기하는 일이라고 했다. 그렇다면 무엇을 먼저 포기해야 할까? 의미 없는 습관으로 굳어진 취미, 말이 좋아 취미지 실은 '시간 때우는 작업'으로 변질된 것부터 청산해야 한다.

알게 모르게 시간을 훔쳐가는 시간도둑은 누구에게나 있다. 이 도둑을 잡지 못하면 우리의 시간곳간을 튼실하게 채우기는 불가능하다.

내가 되도록 하지 않으려고 하는 행동은 크게 세 부류로 나뉜다. 버릇이 들어 하게 되는 행동, 다른 대안이 없어 하게 되는 행동, 그리고 다른 사람 때문에 할 수 없이 하게 되는 행동이다.

이 중에서도 첫 번째 행동, 즉 버릇이 들어 하게 되는 중독된 행동을 자제하는 것이 가장 어렵고 또 중요하다. 가장 많은 시간을 낭비하면서도, 온갖 이유를 들어 자신을 합리화하기 때문에 가장 고치기 어렵다. 하지만 내게 없던 무엇인가를 이루고자 한다면, 기존의 습관을 바꾸지 않고는 불가능하다. 특히 시간을 사용하는 중독된 습관을 가장 먼저 바꿔야 한다.

내가 대학에 다닐 때에는 대부분의 남학생이 당구에 빠져 있었다. 당시 대학가에는 한 집 걸러 당구장, 두 집 걸러 술집이라는 말이 나올 정도였다. 나도 당구장으로 등교했다가 수업시간이 다 돼서야 허둥지둥 교실로 향한 적이 많았다. 처음에는 재미있어서 큐를 잡지만 어느 순간부터는 그만둘 수 없어서 치게 된다. 당구가 나를 지배하게 된 것이다. 재미에도 '한계효용 체감의 법칙'은 예외가 없는 것일까? 처음에는 좋아서 했던 일들이 차츰 의미 없는 습관으로 변질된다. 그런데도 몸에 익어버려서, 어느 순간부터는 중독돼서 끊지 못하는 것이다. 그때 참 적지 않은 액수의 용돈을 당구장에 갖다 바쳤다.

지금 생각해보면 돈도 돈이지만, 그 시간들이 아까워서 견딜 수가 없다. 버릇으로 굳어져 끊지 못해 들렀던 당구장. 막상 큰 즐거움도 주지 못하고 내 미래를 위해 아무것도 남겨주지 못했던, 그저 버려진 시간들…….

요즘 학생들에게는 웹서핑이나 게임이 그 자리를 차지하고 있는 것 같다. 줄이고, 끊어라. 특히 게임은 반드시 끊어라. 훗날 돌이켜봤을 때 청춘의 시간을 허비한 후회의 눈물을 흘리지 않도록.

의미 없는 습관으로 굳어진 취미를 '삶의 유일한 즐거움'이란 식의 변명으로 감싸지는 말라. 세상에서 가장 큰 즐거움이 무엇이라 생각하는가? 그것은 성장하는 즐거움이다. 성장에 꼭 필요한 양분인 '시간'을 빼앗는 일이 즐거움의 원천이 될 수는 없다. 그냥 때우는 시간이 많아질수록 존재의 두께는 얇아진다. 무의미한 반복이 계속되는 취미, 혹은 시간 때우기를 당장 그만둬라.

다음은 내가 되도록 하지 않으려는 행동, 되도록 하려는 행동을 정리한 리스트의 일부다. 그대들에게 참고가 될까 하여, 실어보았다.

게임보다는 독서를,
인터넷 서핑보다는 신문 읽기를,
TV 시청보다는 영화 감상을,
공상보다는 사색을,
수다보다는 대화를,
골프보다는 빨리 혹은 느리게 걷기를,
다이어트보다는 운동을,
사우나보다는 반신욕을,
늦잠보다는 피로를 푸는 토막잠을,
취하기 위해서가 아닌 분위기를 돋우기 위한 술을
택한다.

## 3
### 15분은 길다

조금 애매한 시간들이 있다. 한 15분 정도 남는 시간. 뭔가 새로 하기는 귀찮고, 그렇다고 가만히 있기는 조금 지루한 시간. 오지 않는 친구를 기다리거나 지하철을 타고 이동하는 시간, 수업 시작 전 잠깐의 여백……, 그대는 이런 시간을 어떻게 쓰는가?

아무 스케줄 없는 여백이 몇 시간씩 된다면 못할 일이 무엇이 있겠는가? 그럴 때는 자연스럽게 계획을 세우게 된다. 하지만 요즘 사회는 바쁘다. 끊임없이 약속이 생기고 어딘가로 이동해야 한다. 뭉텅이 시간이라곤 없이 조각조각 토막 난 자투리 시간만 남게 되는 것은 그대만의 문제가 아니다. 이 시대의 보편적 특징이다. 그런 사회에서 결국 시간 관리란 곧 '자투리 시간을 어떻게 쓰느냐'의 동의어다. 충분한 시간이 날 때까지 기다리지 말라. 틈틈이 나는 작은 시간을 그러모아야 한다.

내가 가장 먼저 실천하겠다고 마음먹고 세운 것은 '15분 내로 해결할 수 있는 일은 지금 바로 해결한다'는 원칙이다. 이따가 해야지, 하고 생각한 것치고 이따가 제대로 한 적이 별로 없다. 지금 하기 싫은 일은 이따가도 하기 싫기 때문이다. 차라리 지금 끝내고 잊어버리는 편이 스트레스가 적다.

그런데 이런 방식에도 단점이 있다. 매사 이런 식으로 일을 처리하다 보면 중요한 일보다 귀찮은 일을 먼저 처리하게 되는 것이다. 그래서 이런 일은 뭘 하기 애매한 자투리 시간에 주로 한다. 테트리스 조각을 맞추듯 빈틈을 자꾸 없애다 보면 몰입할 수 있는 한 덩어리의 시간이 제법 생긴다.

그러니 딱히 할 일이 없을 때 할 수 있는 일을 항상 가지고 있어야 한다. 토막 내기 쉽고 반복적인 것이 좋다. 내 경우에 애매한 시간에는 주로 잠을 청하거나 신문을 읽는다. 잠자는 게 나는 제일 좋다. 일단 눈을 감고 선잠이라도 자려 노력하고, 정 잠이 오지 않으면 신문을 읽는다.

그대에게 '15분 이상 시간이 나면 영어단어라도 외우라'고 말하고 싶지는 않다. 다만 조금씩, 조금씩 부서지는 시간을 속절없이 흘려보내면서 '너무 바빠서 시간이 없다'는 핑계는 대지 말라는 것이다.

자투리 시간에 할 수 있는 가장 유용한 것 중 하나는 '자신을 만나는 것'이다. 자신과 대면하는 일은 자신의 역량을 어떤 방향으로 길러 나가야 할지 결정을 내릴 수 있게 한다. 그래서 중요하다. 많은 청춘들이 자기가 진정으로 원하는 것이 무엇인지 잘 모르겠다고 토로한다. 그러고는 다들 쇼핑하듯이 유행하는 스펙을 쌓느라 이리저리 몰려다니며 주워 담는다. 그래서 항상 바쁘게 열심히 생활하고, 스펙도 제법 쌓았다고 생각했지만, 주변 경쟁자들과 별로 차별화되지 못한다.

철저한 자기와의 대면이 없으면, 앞으로 어떤 사람이 될 것인가에 대한 목표의식도, 지금 나는 어떻게 하고 있는가에 대한 현실인식도 가능하지 않다. 그래서 하루에 단 10분만이라도 스스로를 돌아볼 수 있는 시간이 필요하다. 스스로를 돌아보는 것이 꼭 아메리카노 한 잔을 앞에 두고 깊은 사색에 빠져야 가능한 것은 아니지 않은가.

찜질방 사우나에 들어가 얼마나 버텨보았는가? 15분은 무지하게 긴 시간이다. 1~2시간 이상 긴 시간이 날 때까지 기다리지 말라. 자투리 시간을 잘 써라.

## 4

### 바빠야 시간이 난다

"언젠가 꼭 해보고 싶은 일이 있는데 시간이 없어서 못하고 있다. 나중에 시간이 나면 반드시 할 거다!"

이렇게 말하지 않는 사람을 본 적이 없다. 하지만 가슴에 손을 얹고 생각해보자. 정작 여유가 생겼을 때, 계획하던 그 일을 제대로 한 적이 있었는가?

나만 해도 그렇다. 고등학교 때 대입준비로 한창 바쁘니까, 하고 싶은 일이 정말 많았다. 대학만 가면 책도 많이 읽고, 피아노도 다시 시작하고, 사진도 찍고, 어쩌고, 저쩌고, 다이어리에 정말 빼곡히 할 일을 적었다. 하지만 정작 대학에 입학하고 나서, 혹은 아무 일이 없던 고3 마지막 겨울방학조차도, 제대로 한 일은 없었다. 이런 일은 선생이 된 지금도 마찬가지다. "이번 방학에는 미루었던 번역작업을 꼭 해야지." 하고 그렇게 다짐을 했건만, 조금 왔다 갔다 하다 보면 이내 개강이다.

그대는 어떤가? 나만 그런가?

가만히 보면 그대들도 나와 별반 다르지 않은 것 같다. 휴학을 마치고 돌아온 학생들을 만나 얼마나 보람 있게 보냈느냐고 물어보면, 대체로 대답이 같다. "그냥 후딱 시간이 가버리던데요? 별 일도 못했어요."

비단 휴학이 아니더라도 비슷한 상황이 반복된다. 분명 한가한 기간인데, 오히려 아무 일도 하지 못하는 것이다.

왜 이런 현상이 많은 사람에게 반복되는지 생각해봤다. 내가 내린 결론은, 바빠야 오히려 시간이 난다는 것이다. 역설적이지만, 그렇다.

바빠야 하고 싶은 일의 소중함이 비로소 절실해진다. 더욱 중요한 점은 바빠야 생활이 치열해져 시간관리가 제대로 이루어진다는 것이다. 시간이란 '있느냐 없느냐'의 문제가 아니라 내가 그것을 '제대로 사용하느냐 못하느냐'의 문제이기 때문이다. 그래서 한가할수록 쓸 수 있는 시간은 더 생길지 몰라도 치밀한 시간관리의 의지가 함께 줄어들기 때문에 아무 일도 하지 못하는 일이 자주 벌어진다.

지금의 그대는
미래의 그대에게
얼마나 당당할 수 있는가?
시간을 그렇게 사용하라.
미래의 그대에게
미안하지 않도록.

그리고 사실 생각해보면 '한가한 시간'이라는 것은 애초에 없다. 한가하다는 것은 급하게 혹은 반드시 해야 할 일이 상대적으로 줄었다는 의미일 뿐이다. 하지만 '백수가 과로사하는' 세상이다. 여기저기 시간도둑이 정말 많다. 그 시간도둑을 잡지 못하면 시간은 많았는데 한 일은 없는 황당한 경우가 계속 반복된다.

바쁠 때가 오히려 무슨 일이든 시작하기 좋을 때다. 나중에 한가해지면 하겠다는 생각은, 결국 하지 않겠다는 것이다. 자신의 게으름에 대한 유보의 구실이다. 가장 바쁠 때 시간을 쪼개 '그 일'을 시작하라. 그렇다. 바로 지금 말이다.

지금이 아니면, 영원히 하지 못한다.

인간의 삶에서 시간을 빼고 나면 무엇이 남을까? 시간은 우리 영혼을 만드는 재료라고 했다. 시간이 전부다. 그대의 내일은 오롯이 오늘의 24시간에 달려 있으므로. 그러므로 그대의 시간은, 어쩌면 그대보다 소중하다.

# '카르페 디엠' 사용법

요즘 친구들의 미니홈피나 블로그의 대문글로 가장 많이 적혀 있는 문구는 무엇일까? 통계를 내보지는 않았지만, 아마 '카르페 디엠(Carpe Diem)'이라는 말이 아닐까? 여기저기서 참 많이 봤다.

'카르페 디엠'은 로마의 시인 호라티우스의 송시에 나오는 '오늘을 잡아라(seize the day)'라는 의미의 라틴어인데, 영화 〈죽은 시인의 사회〉에서 괴짜 선생 키팅의 대사로 유명해졌다. 호라티우스의 시에서는 '시간이란 덧없는 것'이라는 의미로, 영화에서는 '평범한 삶을 살지 말라'는 취지로 사용됐지만, 많은 사람들은 '현재를 즐겨라'라는 의미로 받아들이는 것 같다.

나도 개인적으로 무척 좋아하는 글귀이지만, 현재를 즐기라는 의미가 받아들이는 사람마다 무척 다양하게 해석되는 듯하여 생각해볼 필요가 있는 듯하다. 이 말을 어떻게 받아들이면 좋을까? 현재를 어떻게 즐기라는 말일까?

이 글귀는 아마도 '행복'의 맥락에서 풀어보는 것이 맞을 것 같다.

인간은 행복을 추구하는 존재다. 우리 모두 행복해지기 위해 산다. 행복하기 위해 일을 하고, 돈을 벌고, 관계를 만든다. 지난날 우리 기성세대에게는 '성공하면 그게 바로 행복'이라는 억센 믿음이 있었다. 쉬지 않고 열심히 일해서 더 많은 것을 성취하면, 그게 바로 행복이라고 믿으며 살아왔다. 나 또한 내일의 야망을 위해 오늘을 희생하라는 그러한 믿음을 주입받으며 자랐다. '성취 권하는 사회', 그것이 세계에서 가장 가난했던 우리나라를 발전시킨 마법의 주문이었다.

하지만 행복이란 성공한다고 그냥 주어지는 것이 아니다. 연습하고 노력해야 하고, 인생을 즐길 줄 알아야 한다. 인생을 즐긴다는 것이 단지 쾌락적인 삶을 산다는 의미는 물론 아니다. 필요한 순간에는 절제하면서, 자기에게 주어지는 순간순간에 보람을 느낄 수 있는 일을 하는 것이 인생을 즐기는 진정한 태도다.

'카르페 디엠'도 그런 맥락에서 받아들여야 할 것이다. 지나간 나날에 대한 후회로 현재를 채워서는 안 된다. 할 수 없는 일에 대한 필요없는 의무감으로 현재가 비참해져서는 안 된다. 아직 오지도 않은 미래에 대한 불안으로 현재가 흔들거려서는 안 된다. 자신의 목표를 확고하게 하고, 그 목적지를 향해 순간순간의 발걸음을 뚜벅뚜벅 옮길 수 있을 때 현재를 즐길 수 있게 된다.

그러므로 진정으로 '카르페 디엠'하려면 자신에 대한 믿음이 확고해야 한다. 비록 꿈의 내용이 구체적이지는 않더라도, 어떻게든 꿈을 이룰 수 있다는 자신감만큼은 구체적이어야 한다. 그때 비로소 현재를 즐길 수 있다. 그것이 내가 생각하는 '카르페 디엠'의 진정한 의미다.

# 그대 생활의 라임은 무엇인가?

불교에서 연꽃을 귀하게 여기는 이유는 더러운 진흙탕 속에 뿌리를 두고서도 아름다운 꽃을 피우기 때문이다. 그래서인지 절망적인 여건을 딛고 생의 성취를 이룬 이들의 이야기는 연꽃처럼 아름답다. 실은 크고 작은 난관을 헤치지 않고 성공을 이룬 사람은 없기 때문에, 어느 성공기나 그 뒤안을 자세히 들여다보면 연꽃의 향기가 진하게 배어나온다.

역경을 이겨낸 사람들의 실화는 우리에게 힘을 준다. 나도 언젠가는 이 고난을 떨치고 일어나리라는 의연한 결의에, 마음의 밑줄을 긋는 것이다. 육체적, 정신적 장애, 가난, 부족한 재능, 비뚤어진 가족사 등 삶의 원초적 결여를 꿋꿋이 메워낸 성공담들은 그래서 늘 우리에게 희망과 용기, 자극을 준다.

'에미넴'이라는 래퍼가 있다. 그의 자전적 이야기를 담은 〈8마일〉이라는 영화는 그가 성공하기까지 부딪혀야 했던 출구 없는 상황을 충실히 묘사하고 있다. 에미넴은 쇠락한 범죄의 도시 디트로이트의 빈민가에서 태어나, 폭력과 가난 속에서 희망이라고는 보이지 않는 청소년기를 보내야 했다. 그의 유일한 낙은 디트로이트 시내의 힙합 클럽에서 랩 배틀을 하는 것. 백인의 신분(?)으로 흑인의 장르인 힙합과 랩을 하면서 받아야 했던 역차별과 무시를 딛고, 클럽에서 쟁쟁한 경쟁자를 이겨나가면서 에미넴은 명성을 얻기 시작한다. 현재 그는 '뒷골목의 시인'이라 불리는, 미국 아니 세계 최고의 래퍼 중 한 사람이다.

에미넴을 빈민가에서 건져낸 것은 결국 랩이었다. 힙합에 크게 호의적이지 않은 나도 이 영화만큼은 무척 재미있게 봤다. 에미넴 랩의 진수를 조금이라도 더 느껴보려고 DVD의 한글자막과 영문자막을 교대로 띄워가며 몇 번이고 반복해 랩 배틀 장면을 돌려보던 기억이 아직도 새롭다.

그가 쏟아내는 랩의 가사를 번역해보면, 사실 입에 담거나 글로 옮기기조차 어려운 욕설이 대부분이다. 그 욕설을 랩으로 승화시키고 전 세계 팬들을 환호하게 만든 힘은 무엇일까? 빈민촌 뒷골목 불량배의 욕지거리와 세계적 힙합 아티스트의 퍼포먼스를 구분하게 만든 것은 무엇일까?

그것은 라임(rhyme)이다.

라임이란 압운 혹은 각운이라 하는데, 시(詩)나 노래 가사에서 행의 끝에 비슷하거나 같은 음을 반복해서 사용함으로써 리듬감을 극대화하는 수사법이다. 에미넴이 내뱉는 단어 하나하나는 터져 나오는 욕설일 뿐이지만, 거기에 압운이 달릴 때 바로 노래가 되는 것이다.

라임이란 무엇인가? 하나의 작은 제약이다. 스스로에게 부과하는 규칙이다. 흩어진 잡돌을 보배로 꿰어주는 실 같은 것이다. 라임이 있고 없고에 따라 똑같은 'F' 단어도 욕이 됐다, 시가 됐다 한다. 한 뼘 앞을 내다볼 수 없는 냉엄한 현실이 깊은 분노를 낳고, 분노는 거침없는 욕설로, 그 욕설이 다시 시이자 음악으로 태어날 수 있었던 것은 오롯이 라임 때문이었다.

실은 노래에만 라임이 필요한 것이 아니다. 우리 삶에도 라임이 필요하다. 자기가 만든 규칙을 지켜내려는 약간의 제약, 그 작은 생활의 규칙만 맞출 줄 알면 그대도 나도 인생의 시인이 될 수 있다. 라임의 힘으로 거친 욕설도 시로 승화할진대, 우리네 일상이 라임을 가질 때 지굿지굿한 현실을 차고 올라 연꽃의 아름다움을 피울 수 있는 동력을 얻지 않겠는가.

그대에게는 스스로 지켜내는 제약이 있는가?
그대의 삶에는 규칙과 리듬이 있는가?

그대 생활의 라임은 무엇인가?

# 기적이란 천천히 이루어지는 것이다

그때 이상하게도 영어는 잘하고 싶었다. 사법고시 공부를 제대로 하지 않는 법대생의 생활이란 한심하기 짝이 없는 것이었는데, 4학년이 되니까 여러 가지로 불안해지면서 문득 영어라도 잘해야겠다는 생각이 들었던 것이다. 1980년대의 법과대학이란 원서 한 권 교재로 쓰지 않는 곳이어서, 대학 졸업반이 된 내 영어실력은 고3 때보다도 못했다. 그러던 내가 어느 날 갑자기, 누가 뭐라 한 것도 아니었는데 영어를 더 잘해야겠다는 생각을 불현듯 했다.

매일 하루에 1시간씩은 영어단어를 외우고 시사주간지를 읽어나가기로 했다. 참 신통한 것이, 다른 일에는 그렇게 나태하던 내가 1년 동안 그 숙제를 매일 했다. 그때 영어가 무척 늘었다.

그 후로 나는 영어 덕을 많이 보았다. 당시 서울대 행정대학원 경쟁률이 15대 1쯤 되었는데, 행정학 교양수업도 한번 듣지 못했던 내가 수많은 행시 준비생들 틈에서 꽤 좋은 성적으로 붙었다. 영어시험 성적이 좋았던 덕이다. 또 '석사장교'라는 제도가 있었는데 석사학위를 받고 국사, 영어, 제2외국어 이렇게 세 과목을 치르는 시험에 합격하면 단 6개월 만의 훈련으로 장교계급까지 주며 군복무를 대신해주는 것이었다. 당연히 다들 관심이 많았고(그래서 대학원 경쟁률이 그렇게 치열했던 것 같다) 합격이 쉽지 않았다. 엎친 데 덮친 격으로 당시 내가 제2외국어로 선택했던 독일어가 무참히 어렵게 나오는 바람에, 다 포기하고 입영을 준비하고 있다가 뜻하지 않은 합격통지를 받았다. 영어점수가 좋았던 덕인 것 같다. 이후 박사과정에 진학하고 유학을 떠나고 학위를 받을 때까지, 영어는 참으로 여러 번 효자노릇을 했다. 1986년, 하루 1시간의 1년 투자가 이후 꽤 오랜 기간 나를 먹여 살렸다.

그때부터 나는 '1-1 원칙'이라는 것을 갖게 되었다. '하루에 1시간씩 1년간 투자하면 무엇이든 꽤 잘할 수 있게 된다'는 원칙이다. 물론 프로급의 최고 수준에 이르기에는 턱없이 부족하지만, 어느 정도 소박한 목표는 이루게 해준다. 갑자기 건강이 나빠졌을 때, 나는 이 원칙으로 운동을 해서 식사조절 없이 요요현상 없는 7kg 감량에 성공했던 기특한 기억도 가지고 있다. 물론 항상 성공하는 것은 아니다. 어떤 일이든 일주일에 한 번 7시간 몰아 하는 것은 쉬워도, 매일 1시간씩 꾸준히 계속하는 것은 어렵다. 실은 나도 결의만 하고 중도에 포기한 경험이 훨씬 더 많다.

우리 모두 작은 소망을 하나둘씩 갖고 산다. 테니스를 잘 쳤으면, 플루트를 잘 불었으면, 혹은 일본어를 할 수 있었으면……. 막연히 생각만 해왔던 소망도 1-1 원칙만 실천할 수 있다면 그것은 상상 속의 꿈이 아니다. 꾸준함의 힘처럼 무서운 것은 없다.

말콤 글래드웰의 《아웃라이어》라는 책에 보면 '1만 시간의 법칙'이라는 것이 나온다. 비틀스나 빌 게이츠 같은 비범한 인재들, 즉 아웃라이어(outlier, 정상(正常)을 벗어났다는 것이 원래 의미다)의 성취는 모두 1만 시간의 연습을 통해 이루어졌다는 것이다. 심지어 우리가 타고난 천재로 알고 있는 모차르트도 실은 1만 시간의 연습을 통해 재능을 발휘했다고 한다.

1만 시간은 하루 3시간, 일주일에 20시간씩 10년간 모아야 이룰 수 있는 시간이다. 아무나 실천하기 어려운 연습량이다. 거기에 비범한 재능도 겸비해야 한다. 이것에 비하면 하루 1시간씩 1년, 모두 더해도 365시간은 참으로 인간적이지 않은가? 물론 1만 시간을 투자해 김연아 선수처럼 된다면 바랄 것이 없겠지만, 모든 사람이 비틀스나 모차르트 같을 수는 없는 일이다. 우리 소박한 삶에서 나름의 성취감을 느끼면서 살기에 1-1 원칙이란, 하나의 '최소한'이 아닐까?

연습하는 자와 저축하는 자는 절대로 지지 않는다. 연습과 저축은 모두 미래의 달콤함을 위해 기꺼이 현재의 고통을 감수하는 행위다. 그리고 그 감수는 1만 시간처럼 무지막지한 양이 아니더라도 충분히 우리를 행복하게 만들어줄 수 있다.

그대도 한번 실천해보지 않겠는가?
기적이란 천천히 이루어지는 것이다.

그대에게 쓴 편지

# 재수를 시작한 너에게

어때, 요즘 지내기가? 힘들진 않고?

묻기조차 조금 미안하네. 재수하는 친구들에게는 요즘이 가장 어려운 시기인 걸 알거든…….

계절의 여왕이라는 5월. 아침 7시에서 밤 11시까지, 네가 사방이 꽉 막힌 밀폐된 공간 속에서 이미 한 번 배웠던 것들을 다시 반복하며 시간을 보내는 동안, 따뜻한 햇볕이 구석구석마다 흐드러지게 꽃을 피우는 계절. 정말 너를 답답하게 하는 건, 공간의 밀폐가 아니라 가늠할 수 없는 앞날의 불안인, 그런 시점. 고등학교 때 분명 너보다 성적이 좋지 않았던 친구가 들어간 대학에서는 중간고사가 끝나고, 신록을 뽐내는 캠퍼스에서 축제를 시작하는 기간. 낙방의 충격은 많이 사그라졌지만 대신 처음 학원 종합반을 등록하면서 품었던 굳센 각오도 차츰 흐트러지는 시간, 그리고 그 자리에 밑도 끝도 없는 막막함이 채워지는 시간.

그래, 재수생에게 5월은 가장 잔인한 계절이야. 미안해, 뻔히 알면서 괜한 안부를 물어서. 하지만 아까 널 만났을 때, 그 말 외에는 떠오르지 않았어. 아마 지금 다시 만나더라도 이 뻔한 질문을 다시 할 것 같아.

어때, 요즘 지내기가? 힘들진 않고?

재수생활을 하면서 가장 힘든 것이 무엇이냐고 물었을 때, 넌 두 가지라고 대답했지. 하나, 주위와 자신의 기대에 부응하는 것, 둘, 자기 자신을 관리하는 것. 이 두 가지만 아니면 다른 것은 그런대로 견딜 만하다고…….

맞아, 동의해. 그 두 가지 참 어려워.

하지만 그거 알아? 이 두 가지가 재수생만의 문제가 아니라는 걸. 실은 그게 인생의 핵심 문제야.

고등학교 때 제법 공부를 잘했던 네가 바라던 대학에 떨어졌을 때, 네 자신도 부모님도 실망이 컸겠지? 그리고 다른 대학으로 진학하는 것을 포기하고 재수의 길을 선택했을 때는 내년에는 잘할 수 있다는 기대가 작용했을 거야. 당연하지, 너는 그럴 자격 있으니까.

하지만 이런 생각도 해보자. 내년에 네가 원하는 대학에 진학하고 나면, 주위의 기대가 모두 충족되어 사라질까? 아닐걸? 오히려 그때부터 더 큰 기대가 생겨날 거야. 또 시간이 지나면서 결혼을 하고, 아이를 가져봐. 그땐 기대 정도가 아니야. 자기 인생뿐 아니라 남(자식과 배우자)의 인생을 '책임'져야 할걸? 책임은 기대보다 무거워, 잔인해.

그러니까, 말하자면 이런 거야. 지금 네가 좋은 대학에 진학해서 부모님의 기대에 부응해야 한다는 부담과 책임은, 재수를 하건 하지 않건 네가 일생 동안 짊어져야 할 그것들의 시작에 지나지 않는다는 거지. 다만 조금 더 무겁고, 조금 더 부담스런 기대를 조금 더 일찍 지게 됐다는 것뿐.

자기를 관리해야 하는 것이 어렵다고 했던 두 번째 문제도 실은 마찬가지야. 평생 가지고 가야 할 화두지. 물론 대학 간 친구들이 수업 조금(일주일에 겨우 20시간!) 듣고 아르바이트한다고 왔다 갔다 하는 걸 보면, 햇볕 들지 않는 독서실에서 스스로와 싸워야 하는 건 너뿐이라는 생각이 들 거야. 하지만 그렇지 않아. 자기관리는 모두의 인생 문제야. 대학생에게는 물론, 대학교수인 나에게도.

유명한 마시멜로 실험 알아? 마시멜로란 초코파이 사이에 든 하얀 설탕젤리 같은 건데, 미국에서는 이걸 불에 살짝 구워 먹어. 정말 달콤해서 미국 아이들이 속된 말로 '레알' 환장하지. 이 마시멜로를 갖고 미국 스탠퍼드 대학의 월터 미셸이라는 학자가 실험을 했어. 애들에게 마시멜로를 주고 "지금 먹어도 좋지만, 15분만 참으면 하나를 더 줄게." 라고 했대. 어떤 애들은 참지 못하고 바로 먹었고, 다른 아이들은 용케 15분을 참아서 한 개를 더 받았다는 거야. 그리고 15년이 흐른 뒤, 이 아이들의 수능(SAT) 성적을 추적해봤는데……, 어떤 일이 벌어졌을 것 같아?

15분을 참아 마시멜로를 하나 더 받은 아이들의 성적이 800점 만점에 평균 125점 이상 압도적으로 높았다는 거야. 놀랍지 않아? 이 '만족 유예' 실험은 《마시멜로 이야기》라는 책에 소개되어 우리나라에서도 무척 유명해졌지.

나는 이 마시멜로의 교훈이 인생 성공의 핵심이라고 생각해.

'미래를 위해 현재의 고통을 감수할 수 있는 능력.'

이게 처음이자 끝이야. 이게 전부야.

김연아 선수, 정주영 회장, 김대중 대통령, 반기문 UN사무총장……. 사회의 존경을 받는 사람들의 공통점을 단 한 가지만 꼽는다면, 뭐라고 생각해? 바로 이른바 '마시멜로 능력'이야.

김연아 선수의 환상적인 연기 뒤에는 셀 수 없는 시간의 연습이 있었다는 건 너도 동의하겠지. 연습이란 게 뭘까? 미래의 멋진 연기를 위해 현재의 고통을 감수하면서 반복하는 행동 아닐까? 김연아를 만든 것은 한 번의 멋진 점프가 아니라, 천 번의 엉덩방아였던 거야.

물론 재능도 있었겠지. 연습을 죽어라고 했지만 재능이 모자라서 실패하는 선수들도 있잖아. 하지만 재능이 있다고 하나도 연습하지 않고 우승하는 선수도 우리는 본 적이 없어. 그러니까 김연아 선수는 마시멜로 능력이 있었기에 세계의 요정이 될 수 있었던 거야. 이건 박태환 선수나, 장미란 선수나, 모든 운동선수들에게 적용되는 예외 없는 법칙이야. 비단 운동선수뿐이겠어? 어떤 분야에서든 존경받는 사람들을 찬찬히 살펴보면, '오늘의 고통을 감수하면서 내일을 준비해온' 이들이야. 무엇을 하건, 오늘의 고통 없이 내일의 성공은 없어.

그렇다면 어떻게 하면 내일을 위해 오늘의 고통을 좀 더 능동적으로, 좀 더 즐겁게 감수할 수 있을까? 그래, 우리는 그걸 바로 '자기관리

능력'이라고 불러. 그러니까 네가 지금 밀폐된 오늘을 보내면서 고민하는 자기관리의 문제는 인생 성공의 핵심인 거야. 꼭 재수생만의 문제는 아닌 거지.

자, 왜 내가 자네 고민에 공감해주지는 않고, 자꾸 '재수생만의 문제가 아니라 인생의 문제'라고 하는 것 같아? 이런 말이 무슨 위로가 될 거라고, 무심하게 말야.

너나 네 어머니는 네가 내년에 좋은 대학에 합격하는 것이 가장 큰 목표이겠지만, 실은 나는 아니야. 내가 너에게 진정으로 바라는 것은, 네가 훌륭하고 행복한 인생을 사는 거야. 물론 좋은 대학을 나오면 훌륭하고 행복한 인생을 사는 데 더 도움이 될지도 모르지. 하지만 훌륭하고 행복한 인생을 사는 데 좋은 출신 대학보다 훨씬 중요한 게 있어. 말했잖아. 바로 주위와 스스로의 기대와 책임에 부응하는 것, 그리고 그것을 위해 자기를 관리하는 능력.

아마도 길게 보면 너의 재수 경험은 그 필수적인 능력들을 키우는 시간이 될 수 있어. 지금은 1년이 늦었지만 인생 전체로 보면 결국 더 빨리 성공할 수 있게 만들어주는 그런 기회 말이야.

선생이 학생에게 선입견을 갖는 건 온당치 않지만, 나는 재수를 한 학생들은 조금 더 높게 평가하는 경향이 있어. 인생의 가장 예민한 시기에 나름 깊은 좌절을 맛보았고, 그 좌절의 시기에 나태해지지 않고 '오늘의 고통을 감수하는' 마시멜로 능력을 연습한 친구들이거든.

성장은 좌절에서 오는 거야. 잘나갈 때에는 아무도 스스로를 돌아보지 않지. 실패를 경험해야, 그때 가서야 뭐가 문제였는지 돌아보거든. 또 그래야 자기 성장의 발판이 될 수 있는 거거든. 그래서 인생 전체를 놓고 보면, 처절한 실패보다 어정쩡한 성공이 훨씬 더 위험해.

너는 이 인고의 시간이 빨리 지나갔으면 좋겠다고 바라겠지만, 잊지는 마. 지금 이 재수의 기간도, 흘러가는 것이 안타까운 소중한 네 인생의 엄연한 일부야. 그리고 그것은 낭비된 시간이 아니라, 실은 네 인생을 평생 향도(嚮導)할 수 있는, 가장 중요한 능력을 기를 수 있는 황금 같은 기회야. 재수를 하지 '못한' (그들은 재수를 '안 해도 되는' 것이 아니야. '못 해본' 것이지) 친구들보다 훨씬 풍요한 삶의 경험을 할 수 있게 된 거라고.

❧

이제 좀 위안이 돼?

하지만 위안 받기는 아직 일러. 이 글이 진정 위안이 되려면 네 '오늘'이 변화해야 하거든. 실천하지 못하는 결심이란, 한낱 자위일 뿐이거든.

자기를 관리할 수 있는 능력이란 건 말이지, 어느 날 좋은 글 읽고 느낀 게 있었다고 확 생기는 그런 능력이 아니야. 하루하루 조금씩, 조금씩 실천하고 살짝살짝 늘어가는 그런 능력인 거야. 그러니까 며칠 못 가 '잉여짓' 하고 나서 셀프컨트롤(self-control)을 잃었다고 실망하고 포기하지는 마. 그럴 때일수록 빨리 몸과 마음을 추스르고 다시 마시멜로를 생각해. 그런 하루하루가 쌓이면, 너는 단지 좋은 대학이 아니라, 좋은 인생에 도착하게 될 거야.

너에게 주어지는 기대에 합당한 자기관리를 시작해. 내일부터가 아니야. 지금부터야. 내일은 지금, 오늘이 만드는 거라고.

이제 한숨을 거두고, 바로 지금부터 너의 오늘을 바꿔.

# '내일'이 이끄는 삶, '내 일'이 이끄는 삶

PART 4

# 네가 내린 결정으로 삶을 인도하라

엄마, 하고 부르면 마음부터 짠하다. 단지 낳아주고 키워주신 분이라서가 아니다. '엄' 하고 입술을 오므리는 순간, 우리에게 지금까지 나눠주셨던 애절한 희생이 전율처럼 온몸에 전해온다. 우리에게 그렇게 절실한 존재가 또 있을까, 엄마 같은 존재가.

아기를 낳고, 먹이고 재우는 일도 얼마나 고되랴마는, 엄마의 희생은 우리가 중고등학교에 다닐 때 절정이었던 것 같다. 새벽부터 흔들어 깨우는 그 목소리가 한없이 원망스러웠지만, 엄마는 항상 나보다 늦게 잠들고 일찍 깨야 했다는 사실에 대해서는 별로 생각해본 적이 없다. 곤히 잠들어 있는 엄마 모습을 본 적이 몇 번이나 됐던가? 학원비나 과외비를 마련하느라 늘 빠듯한 가계부를 이리저리 붙잡고 씨름하던 모습은 애써 외면했다. 어느 날엔가 오직 나를 위해 기도하시던 엄마의 모습을 보기라도 하는 날에는…….

쌓여가는 대입 스트레스를 풀 데가 엄마 말고 또 어디 있겠는가? 만만한 엄마에게 우리는 왜 또 그렇게 못되게 굴었던지. 엄마도 가끔씩 언성을 높이긴 했지만, 그게 다 '나 잘되라고' 하셨던 희생이요, 봉사다. 대학에 입학하던 날, 엄마는 이제야 한시름 놓았다고 숨을 몰아쉬시며 눈물마저 글썽거렸다.

엄마야말로, 우리 생애 가장 든든한 버팀목이다. 앞으로도 아주 오랫동안 그래주실 것이다.

아니다. 그렇지 않다. 그래서는 안 된다.

이제는 엄마를 넘어서야 한다.

요즘 중고등학생 엄마들을 보면 꼭 연예인 매니저 같다. 다이어리에는 스케줄을 빽빽이 적어놓고, 여기저기 휴대폰으로 전화를 하면서, 아이들을 뒷자리에 태우고 이 학원 저 학원 실어 나르느라 바쁘다. 아마 빅뱅의 로드매니저 다음으로 우리 엄마가 바쁘다고 생각하면 대충 맞을 거다. 직장을 가진 엄마들은 그 정도는 아니지만, 그 바쁜 틈을 내어 자녀들의 학업과 생활을 챙기려는 노력은 눈물겨울 정도다.

일부 기획사와 연예인 사이의 '노예계약'이 문제라던데, 사실 우리도 거의 노예나 다름없다. 대학에 들어가기 전까지 엄마의 통제를 벗어날 수 있는 사생활은 없다. 대다수 우리나라 엄마들의 지상목표는 자식을 좋은 대학에 보내는 것이므로, 이렇게 모든 생활에 사사건건 간섭하는 것을 엄마들은 물론 당하는 아이들도 당연하게 여긴다. 무척 불합리한 상황이지만 전 국민이 그러고 있으니, 딱히 항의할 엄두도 나지 않는다.

심지어 이건 '세계적인' 현상이다. 미국에서도 사커맘이니, 하키맘이니, 미니밴맘이니 하는 용어가 자주 쓰인다. 모두 비슷한 뜻이다. 커다란 미니밴을 몰며 아이들을 축구장이며 하키장에 데려다주는 것이 일과인 극성 엄마들을 지칭하는 말이다. 얼마 전 미국 부통령으로 출마했던 페일린도 자신을 하키맘이라 소개했다.

요즘엔 헬리콥터맘이라는 용어도 나왔다. 자식 주위를 헬리콥터처럼 맴도는 엄마들이란다. 그 극단에 블랙호크맘(영화 〈블랙 호크 다운〉에 나왔던 초고성능 헬리콥터)이라는 것도 있다고 한다. 초고성능 정보기기로 무장하고 있다가 자식에게 조금만 수상한 동향이 보이면 곧바로 제재(?)에 들어갈 수 있는 엄마다.

엄마가 시키는 대로만 해, 나중에 후회하지 말고… 그러게 아빠가 뭐랬어… 하루 한 번은 전화해라… 인맥이 중요하니까 친구를 잘 사귀어야 돼… 그런 애랑 놀지 말라니까… 어디서 딴짓하다 이 시간에 들어와… 내가 너만 했을 땐… 해달라는 대로 다 해주잖아… 그 학과는 취직이 안 된다니까… 지금이라도 다시 의대 가라… 요즘엔 중국어가 좋단다… 공부해야지, MT는 무슨… 우리 집안은 대대로… 너 하는 걸 보고 있으면 안심이 안 돼… 엄마가 학원 끊어놨어. 이 학원이 고시 많이 합격시킨다더라… 남자가 꿈이 커야지… 다 너 잘되라고 그러는 거지…

서울대학교 아동가족학과 친구들이 2010년에 했던 학생 심포지엄의 홍보 포스터에 등장하는 문장들이다. 이 심포지엄의 제목은 '어른 아이, 사랑에 빚지다 : 대학생 자녀가 인식하는 부모의 과잉기대, 간섭이 자녀에게 미치는 영향과 그로 인한 갈등'이었다. 이 연구는 스스로를 성인으로 인지하고 독립하려는 욕구는 있으나 부모로부터는 여전히 생활 전반에 걸쳐 직접적인 간섭을 받는 대학생을 '어른 아이'라 명명하고, 이 어른 아이들이 받는 부모의 기대와 간섭을 실증적으로 분석했다. 오늘날 대학생 부모의 과도한 간섭은 한마디로 '사랑의 빚'이라는 것이다.

이런 연구결과를 인용하지 않더라도 우리는 잘 알고 있다. 엄마들은 늘 말한다.

"너희는 공부만 열심히 해. 나머지는 엄마가 다 알아서 해줄게."

사실 엄마가 자식에게 가르쳐야 할 가장 중요한 것이란 (공부는 선생이 가르치는 것이므로) '공부를 제외한 다른 모든 능력'들인데, 엄마들은 오히려 그 능력을 거세시키고 있다. '이게 다 너를 위한 것'이라면서.

게다가 더 큰 문제는 이 엄마들이, 자녀가 대학에 진학하고 나서도, 심지어는 결혼하고 사회에 진출한 이후에도, '매니저질'을 그만두지 않는다는 것이다. 나만 해도 '우리 애 초안지 수강신청을 받아주시면 좋겠다', '아이 학점이 왜 그것밖에 되지 않느냐?', '이번에 꼭 졸업을 해야 하니 해외대학 취득예정 학점을 인정해주면 좋겠다' 등의 전화를 학생의 엄마나 아빠로부터 받은 적이 있다. 로스쿨 설명회나 고시 학원의 번호표를 받는 줄에 엄마, 아빠가 적지 않게 보이고, 공무원이나 교사를 준비하는 노량진 학원가에도 상담을 받는 엄마들이 많다. 직장이나 군대에서도 상사에게 전화하는 엄마들이 많다고 한다.

'네 장래에 대한 고민은 다 알아서 해줄 테니, 너는 그저 따라오라'는 식이다. '자식 이기는 부모 없다'는 속담도 있는데, 요즘엔 부모 이기는 자식을 별로 본 적이 없다. 자식들도 물론 독립하고 싶은 욕구가 없는 것은 아니지만, 엄청난 생활비와 학자금, 결혼자금을 부모에게 의

존하고 있는 이상 홀로 서는 것이 사실상 가능하지도 않다.

이건 고학력의, 혹은 소위 성공한 부모들이 훨씬 더하다. 지식이나 경험에서 워낙 압도적이니, 많은 딸아들이 항변할 엄두조차 내지 못한 채 아예 그것을 당연하게 여긴다. 아주 어릴 때부터 그랬으므로. 요즘 젊은이들을 캥거루족, 혹은 위성세대(satellite generation)라 부르는 것도 무리는 아니다.

아무리 세계적인 현상이라고 하더라도, 이건 전혀 바람직하지 않다. 엄마에게도, 그리고 우리에게도. 헬리콥터처럼 자식 주위를 맴돌아야 하는 '엄마의 인생'은 논외로 하더라도, 우리는 엄마를 반드시 넘어서야 한다.

인생이란 결국 엄마가 다 알아서 해주기로 했던 '공부 이외의 나머지 것들'에 달려 있기 때문이다.

20대들의 부모의 나이는 대략 40대 후반에서 50대 후반까지다. 출생연도로 치면 1950년대에서 60년대 초반까지다. 내가 이 연배라서 잘 안다. 그대의 엄마아빠들은 2000년대와는 전혀 다른 시대를 살아낸 세대다.

1960년대 초 우리나라의 1인당 국민소득은 80달러도 되지 않았다. 소말리아나 콩고보다 못 살았다. 어릴 때 아프리카의 가봉이라는 나라의 대통령이 방한했는데 학교 전체가 길거리에서 태극기를 흔들며 환영하는 데 동원됐던 기억이 새롭다. 서울 동대입구역 근처에 장충체육관이 있는데, 필리핀 기술자들이 지어준 것이다. 당시 우리에게는 그런 '첨단' 건물을 지을 기술이 없었기 때문이다.

그랬던 대한민국이 지금 국민소득 2만 달러를 눈앞에 둔, 세계 11위 수준의 경제규모를 가진 나라로 성장했다. 세계에서 가장 난이도 높은 건축물을 우리가 짓는다. 그대들과 부모는 세대차이 정도로는 설명할 수 없는, 완전히 다른 나라에 살고 있는 셈이다. 엄마가 살아온 세상과 그대들이 살아갈 세상은 완전히 다르다. 엄마들이 길러온 시대감각으로는 이제 그대의 미래를 지시할 수 없다.

게다가 부모란 어쩔 수 없이 보수적이다. 빈곤하고 급변하는 시대를 살았기 때문이다. 고등고시가 입신양명의 왕도고, 교사와 은행원이 최고의 직업이던 시기였다. (오해 없으시길, 물론 이들은 여전히 좋은 직업이다.) 사회적 인정과 성취가 지상과제였으므로, 개인적 만족과 행복을 중요시하는 요즈음의 젊은이들과는 가치관도 사뭇 다르다.

설령 시대관이나 가치관이 현대적이더라도, 자식의 미래를 두고 리

스크를 감당할 수 있는 담 큰 부모는 없다. 자식의 인생 앞에서, 엄마 가슴은 한없이 작아진다. 그래서 엄마들은 잘 풀리지 않아도 '먹고살 수는 있는' 매우 안정적인 직업을 선호한다. 성공 가능성을 최대화하기보다는 실패 위험을 최소화하는 의사결정을 내리는 것이다. 결국 엄마들이 제시하는 자식의 미래란, 항상 비슷비슷하다.

한 7~8년 전쯤 이런 일이 있었다. 우리 과의 2학년 학생이 내게 찾아와 조언을 구했다. 아버지는 강력하게 사법고시를 보라고 요구하는데 본인은 다른 쪽 공부를 더 하고 싶다고, 어떻게 하면 좋겠느냐는 것이었다. 나는 조금도 망설이지 않고 그 학생의 뜻에 손을 들어줬다. 아버지와 갈등을 감수하더라도 본인의 뜻을 굽히지 말라고 격려해줬다. 그러고 나서 며칠 후, 나와 학과장에게 그 친구의 아버지가 직접 전화를 해서 강력하게 항의를 해왔다. 그놈의 학교는 무슨 학생지도를 그따위로 하느냐고…….

학과장의 중재로 큰 싸움은 하지 않았지만, 나도 그때 많이 화났다. 나에 대한 무례 때문이 아니라, 자신의 기준으로 자식의 미래를 재단하려는 부모의 월권을 참을 수 없었기 때문이었다. 그 친구가 지금 무엇을 하고 있는지는 알지 못하지만, 요새 사법연수원 졸업생이 구직난에 허덕이고 로스쿨 자퇴생이 속출한다는 기사를 보며, 그 아버지가 어떤 생각을 했을지 궁금하다. 물론 변호사는 지금도 좋은 직업의 하나다. 내가 말하려는 것은 부모 세대가 느꼈던 만큼 매력 있는 직업은 더 이상 아니며, 자식의 꿈을 꺾어서라도 가야 할 길은 더더욱 아니라는 것이다. 그런 길이란 없다.

백보 양보해서 설령 엄마의 판단이 옳다고 하더라도, 그대가 엄마를 넘어서야 하는 당위는 분명하다. 내 인생의 주인은 나이기 때문이다. 인생은 크고 작은 만족과 슬픔이 씨줄과 날줄로 엮여 있다. 이것을 감내하는 것은 결국 오롯이 나다. 희로애락으로 촘촘히 짜인 삶을 기꺼이 받아들이기 위해서는, 그 삶이 '내가 내린' 결정이어야 한다.

인생의 핵심은 주체성이다. 설령 등짝에 천근 쇳덩이를 지고 있더라도, 그것이 자기 짐이라고 받아들일 수 있으면 솜처럼 가볍다. 하지만 남이 지워준 무게라고 생각하면, 우산 위에 내려앉은 눈조차 무거운 법이다.

엄마를 넘어서라. 명심하라. 지금부터는 엄마가 그대의 가장 큰 적이다. 이제 엄마라는 목발을 놓고, 힘들더라도 그대의 발로 단단히 서라. 처음에는 엄마의 부재에 나 홀로 남은 불안이 엄습하고, 금단현상마저 올지도 모른다. 하지만 한 발짝, 한 발짝 자신의 걸음을 걸어야 한다. 그 경주의 끝에 비로소 온전한 그대가 있다.

# ‘내일’이 이끄는 삶, ‘내 일’이 이끄는 삶

내 전공은 소비자학이고, 요즘에는 특히 소비트렌드 분석과 예측에 연구의 초점을 맞추고 있다. 그런데 외부강연을 하거나 누군가를 새로 소개받을 때 내가 가장 많이 받는 질문은 트렌드에 관한 것이 아니라, 나에 관한 것이다. 내 이력을 아는 사람이면 대부분 다 묻는다. 어떻게 법대를 나와 행정학을 전공한 사람이 소비트렌드를 연구하고 있느냐고.

그 얘기를 조금 하고자 한다. 내 자신의 이야기를 길게 하자니까 자기 자랑이 될 것 같아 겸연쩍기도 하다. 원래 기억이란 말하기 좋은 것만 오래 남는, 참 편리한 것이 아닌가? 게다가 선생은 자기 자랑을 많이 하는 직업이다. 인격이 부족해서라기보다는, 학생들에게 좋은 본을 보여야 한다는 책임감 때문이라고 좋게 해석해줬으면 좋겠다.

내가 대학생 때부터 소비자학, 특히 소비트렌드를 전공하게 되리라 생각했던 것은 물론 아니다. 그저 오늘 보기에 인기 있는 일이 아니라 '내일' 중요하게 될 일을 하고자 했고, 남들이 좋다고 하는 일이 아니라 '내 일'이라 여길 수 있는 재미있는 일을 하고자 한 결과다.

나는 법학을 전공했다. 하지만 애초부터 판검사나 법학자가 될 마음은 별로 없었다. 고3 때 치른 학력고사, 그러니까 지금의 수능에 해당하는 시험 점수를 당시 제일 유명했던 종로학원의 배치표에 맞춘 결과다. 물론 다른 전공을 선택할 수 없지는 않았겠지만, 부모님이나 담임선생님은 강력하게 법과대학을 권했다. 이 나라에서는 점수가 모자란 학생만 배치표에 맞추어 대학을 가는 것이 아니다. 점수가 잘 나와서 선택권이 있더라도 나온 점수가 아까워서, 남의 눈이 있으니까, 출신 고교의 실적을 위해, 남들이 다 그렇게 권하니까, 가고 싶은 곳이 아닌 배치표에 맞추어 대학을 간다.

달리 간절한 꿈이 있는 것도 아니었기에, 나는 아무 생각 없이 기쁜 마음으로 대학에 갔다. 하지만 법학 과목은 어려웠고, 재미없었다. 당연히 잘 못했다. 당시 대다수의 친구들은 3학년 정도부터는 고시 공부를 시작했는데, 나는 법학 과목이 재미도 없었던 데다 판검사 되는 것이 그다지 탐탁지도 않아서, 주로 술 먹는 일로 시간을 보냈다.

4학년 때 비로소 관심을 가지게 된 것이 행정관료였다. 법대(法臺) 뒤에서 소극적으로 남의 잘잘못을 가리기보다는, 적극적으로 정책을 만들고 국민생활을 편안하게 한다는 사실이 큰 매력으로 다가왔다. 더구나 1980년대는 정부의 강력한 리더십으로 우리나라 경제가 고도성장을 하던 시기였다. 정부의 권한과 책임은 막강했고, 보람도 클 것 같았다. 그래서 다들 사법고시가 최고라고 할 때, 나는 주저하지 않고 행정고시를 치르기로 마음먹었다. 그게 '내 일'이라고 생각했다.

행정고시를 치르겠다는 생각을 워낙 늦게 한 데다, 서울대에는 학부과정에 행정학과가 없었기 때문에 학부 때 제대로 행정학을 배우지 못했다. 4학년 때 처음 치른 행정고시에서 낙방하고 나서 나는 좀 더 체계적으로 행정학을 공부해야겠다는 생각에 1년의 재수 끝에 행정대학원에 진학했다. 거기서 행정학 관련 수업을 처음으로 들었는데, 법학보다는 훨씬 재미있었다. 더구나 행정은 경제, 심리, 사회, 문화 등 다양한 지식을 필요로 하는 종합학문이었기 때문에, 법학 일변도의 법과대학보다는 나와 잘 맞았다. 학부 때와는 달리, 재미가 있으니까 공부도 열심히 했던 것 같다.

그러나 고시는 얘기가 달랐다. 열심히 준비했다고 생각했는데도 번

번이 떨어졌다.

많이 낙담하고 고민하다가 '고시'를 포기하고 '공부'를 계속하기로 마음을 먹었다. 일단 그렇게 진로를 정하고 나니까, 그렇게 안 풀리던 일들이 일사천리로 풀려나가기 시작했다. 동기생 중에 내 학점이 제일 좋아서 졸업식 때에는 총장님께 대학원생 대표로 졸업장도 받았다. 굉장히 어렵다는 석사장교시험에도 붙었고, 박사과정에도 바로 입학했다. 제대 후에 행정학 명문으로 알려진 미국 USC라는 대학에 유학해서 4년 반 만에 박사학위도 받았다.

법과대학에 다닐 때나 고시를 준비할 때에는 그렇게도 일이 안 풀리더니, 법학에서 행정학으로, 고시에서 공부로 방향을 바꾸고 나니 마치 거기에 내 길이 있었던 것처럼 행운이 따라주었다. 그때, 사람의 진로란 남이 좋다고 하는 데 있는 것이 아니라, 자기가 즐겁게 할 수 있는 데 있다는 걸 깨달았다.

1996년 1월, 박사학위를 들고 고국에 돌아왔다. 다른 모든 박사학위 취득자의 꿈처럼, 나도 모교에서 교수가 되는 것이 소망이었다. 이후 1년 반 동안 시간강사를 하면서 채용공고가 날 때마다 지원했지만 연달아 실패했다. 경제적으로 궁핍하고 정신적으로 낙담한, 좌절의 시기였다. 힘든 유학생활을 견디게 했던 꿈이 송두리째 날아가는 기분이었기에 차라리 행정고시를 다시 치러볼까, 아니면 그냥 죽어버릴까, 별 생각이 다 들었다. 너무너무 힘들었다.

그러던 어느 날 소비자학과에서 나와 비슷한 전공으로 교수를 모집한다는 소식을 듣게 됐다. 고민을 참 많이 했다. 교수가 되든 못 되든, 내가 박사까지 받아 인맥과 지식을 쌓은 전공인 행정학계를 떠나 비교적 생소한 소비자학계로 옮겨간다는 것이 참 모험이었기 때문이었다. 이를테면 학문적 이민이었다.

오랜 고민 끝에 나는, 어제나 오늘보다는 '내일'에 나의 명운을 걸어보기로 했다. 앞으로 우리나라 경제가 성장함에 따라 정부보다는 민간 주도로 국가경제 운용의 패러다임이 바뀔 것이고, 그렇다면 기업과 소비자에게로 파워가 넘어갈 텐데, 기업을 연구하는 경영학은 이미 많이들 하니까 소비자를 연구하는 소비자학이 전망이 좋겠다는 생각을 했던 것이다. 나는 결연한 마음으로 원서를 냈고, 운 좋게도 선발이 되었다. 그곳이 바로 지금 내가 재직하는 서울대학교 생활과학대학 소비자학과다.

그때는 차선으로 소비자학과를 선택했지만, 이제는 내가 소비자학을 만났다는 사실에 가끔 눈물이 찔끔 나올 만큼 감사한다. 그리고 그때의 결정이 정말 탁월했다고 스스로를 칭찬한다. 소비자학은 비록 규모는 작지만 참 매력 있는 학문이다. 요즘 기업이나 정부나 '소비자 제일'을 외치지 않는 곳이 없는데, 그 소비자 지향성을 학문의 미션으로 하고 있으니 사회적 수요도 크다. 이민은 성공적이었고, 나는 지금 행복하다.

전공을 옮긴 것에 유일하게 섭섭한 마음이 들었던 것은 2010년 초 학교 건물을 이사할 때뿐이었다. 그때 행정학 관련 책을 엄청나게 버렸는데 참 가슴이 아팠다. 유학생 시절, 아기 일회용 기저귀를 빨아서 재사용할 만큼 알뜰하게 돈을 아껴서 큰 맘 먹고 샀던 행정학 원서들…….(미국은 책값이 정말 비싸다!) 이제는 소용없게 된 그 책을 전부 버리려니까 속이 쓰렸던 것이다. 하지만 이내 미련을 접고 그 책들을 내 책장에서 전부 털어냈다. 어제에 연연하면 내일이 제대로 보이지 않는 법이니까.

《공공가정론》, 《소비자정보론》, 《사치의 나라, 럭셔리 코리아》, 《트렌드 코리아》, 《대한민국 소비지도》…….

소비자학과 교수가 되고 나서 지금까지 쓴 책이다. 언뜻 보기에도 일관성이 없고 중구난방이다. 게다가 묘한 징크스까지 있다. 책을 한 권 쓰고 나면, 그 분야를 더 이상 연구하지 않게 되는 것이다.

교수가 되고 초기에 가장 열심히 공부한 영역은 가정학이었다. 소비자학의 뿌리는 가정학에서 출발하는데, 거기 교수가 됐으니 연원부터 공부하는 것이 좋겠다고 생각했기 때문이었다. 그때 학계에서는 '공공가정'이라고 해서, 실버타운 같은 공공시설에 가정적 서비스를 제공하는 시도를 하고 있었다. 나도 활발하게 그 작업에 참여했다. 전통적이고 보수적인 가정학을 실버타운 같은 새로운 영역에 적용하는 것이 참 재미있고 보람 있었다. 그 덕분에 《공공가정론》이라는 교과서의 공동 저자가 됐다.

공동 작업이기는 했지만 교과서도 한 권 쓰고 나니 뭔가 또 새로운 영역에 도전하고 싶은 열망이 생겨났다. 그래서 1999년에 내가 개발한 교과목이 '소비자정보론'이다.

그 전까지 이 과목은 소비자들이 구매를 위한 정보를 어떻게 취득하고 처리하는가를 다루는 과목이었는데, 이것을 인터넷이라는 정보매체를 통한 소비와 관련된 교과로 완전히 개편했다. 그 당시만 해도 인터넷은 아주 생소한 매체였지만 앞으로 소비생활과 문화에 막대한 영향을 끼칠 것이라고 생각해서, 존경하는 선배 교수 두 분과 함께 《소비자

정보론》이라는 교과서까지 썼다.

책을 쓰고 몇 년 지나지 않아, 나는 본격적으로 '소비자행태'라는 주제를 파고들기 시작했다. "사람들은 왜 소비를 할까? 특히 명품처럼 비싼 물건에 왜 그렇게 열광하는 것일까?" 하는 질문에 답을 찾는 과정이 더없이 재미있었다. 이건 정말 '내 일'이라는 생각이 들었다.

그래서 4년여의 준비 끝에 내놓은 책이 2007년에 출간된 《사치의 나라, 럭셔리 코리아》다. 명저라고 하기에는 부끄럽지만, 타이밍만큼은 참 좋았다고 생각한다. 내가 잘할 수 있는 내용만 고집하지 않고 사회에서 많은 관심을 가질 만한 주제를 한발 앞서 다루었던 덕분이리라.

그다음에 관심을 가지게 된 주제는 소비트렌드다. 트렌드란 시간에 따라 변화하는 소비자들의 선호의 흐름을 말하는데, 그것을 분석하고 예측하는 일이 참 재미있고, 사회적인 수요도 클 것 같았다. 그래서 나는 이를 연구해 《트렌드 코리아》라는 책을 2008년 이후 시리즈로 내고 있고, 〈조선일보 위클리비즈〉라는 경제경영 전문 매체에 '김난도 교수의 트렌드 노트'라는 기명 칼럼을 2년째 연재하고 있다.

나는 앞으로도 계속 연구 주제를 진화시킬 생각이다. 트렌드 이후의 주제로는 소비자조사와 신제품 개발을 생각하고 있다. '애플은 소비자조사를 하지 않는다'는 이야기가 있다. 소비자의 트렌드를 파악하는 것보다는 개발자들의 천재적 창의성이 중요하다는 의미다. 하지만 나는 그렇게 생각하지 않는다. 소비자의 성향과 트렌드를 잘 분석하면 좀 더 소비자 친화적이고 창의적인 신제품을 개발할 수 있다고 믿는다. 그런 교육과정을 잘 개발한다면, 나에게 배운 학생들은 더 잘 취직할 수 있고, 우리나라도 아이폰 같은 제품을 내놓을 수 있으며, 궁극적으로는 소비자들도 더 행복해지리라 믿는다.

여기까지가 내가 책을 쓰고 나면 번번이 그 주제를 그만두게 된 사연이다. 쓰고 나니까 조금 창피하다. 누군가 "그러니까 김 교수는 제대로 깊이 있게 연구한 게 하나도 없군요."라고 할 것만 같다.

그래도 변명은 조금 할 수 있다. 적어도 나는 기성의 성취에 안주하지 않았다고, 내가 할 수 있는 일이 아니라 사회가 나에게 필요로 하는 일을 찾아 올인해왔다고 말이다. 어제와 오늘에 안주하지 않고 '내일'이 이끄는 삶, 남들이 좋다는 주제를 따라가는 것이 아니라 '내 일'이라고 여겨지는 일에 최선을 다하는 삶, 그것이 내 인생의 지향이었다고 말이다. '내일'이 이끄는 삶, '내 일'이 이끄는 삶을 살았다는 그런 자부심이 없었다면, 그대에게 내 중구난방의 연구 이력을 밑천 삼아 조언을 해주지도 못했을 것이다.

그러니 그대여, 늘 '지금의 나'를 뛰어넘을 것을 생각하라. 기성의 성취에 안주하지 않고, 자신의 잠재력을 끝없이 확대해야 한다. 자기 세계에만 안주하고 있으면 무뎌진다. 그대가 스스로를 새롭게 만들지 않으면 언젠가는 사회가 그대를 오래되게 만들어버린다. 게다가 우리 인생은 생각보다 훨씬 길다. 당장 좋아 보이고 남들이 좋다고 하는, 늘 같은 레퍼토리만 반복하고 살아야 한다면 너무 지겹지 않겠는가?

잊지 말라. 알은 스스로 깨면 생명이 되지만, 남이 깨면 요리감이 된다고 했다. '내 일'을 하라. 그리고 '내일'이 이끄는 삶을 살라.

# 찌질이 '알파'들

우리 학교에서는 1년에 한 번씩 '학부모 초청행사'라는 걸 한다. 학부모들을 모시고 학교소개도 하고, 문화행사도 하고, 교수와 학부모의 대화 시간도 갖는 행사다. 나는 학부장이라 이 행사에 꼭 참석하는데, 교실에서만 만나던 학생들과 그들의 부모님을 직접 뵙는 것은 매우 색다르고 즐거운 경험이다.

그들의 자녀를 교육하는 교수이면서도, 나 역시 중고등학생을 자녀로 둔 학부모이기 때문에, 좋은 학생의 부모를 만나면 솔직히 부럽기도 하다. 그분들은 나를 보며 "교수님, 우리 아이 잘 부탁드립니다." 하면서 연방 고개를 굽히시지만, 나는 나대로 그분들을 보면 "무슨 비결이 있어서 아이를 이렇게 잘 키우셨나요?" 하는 말이 절로 나온다.

특히 그중에서도 소위 알파걸(alpha girl)이니 알파보이(alpha boy)니 하고 불리는, 공부도 잘하고 리더십도 있고 부족함이 없어 보이는 친구들의 부모를 직접 만나면, 같은 부모로서 존경스럽기까지 하다.

그런데 재미있게도, 이런 '알파' 학생의 부모들이 한결같이 하는 말씀이 있다. "우리 애가 몸만 컸지, 하는 짓은 아직도 애예요. 교수님께서 잘 가르쳐주시기 바랍니다." 혹은 "이 아이가 공부는 잘하는지 몰라도, 그 외에는 뭐 하나 제대로 할 줄 아는 게 없어요. 모쪼록 교수님께서 많이 지도해주시기 바랍니다." 대부분 이런 얘기다. 절대 겸손이 아니다. 이분들은 진심이다.

나는 내심 놀란다. 학점도 아주 좋고 영어도 참 잘해 소위 최고의 스펙을 자랑하는 친구들이, 부모님 말을 들어보면 그 외의 일에서는 아주 젬병이라는 것이다. 가까울수록 영웅이 없다는 말도 있기는 하지만, 뭐든지 완벽할 것 같은 친구들이 실제 생활에서는 형편없다는 말을 들으면, 사실 참 의외다. 그런데 주위를 보면 실제로 그런 친구들이 매우 많은 것 같다.

소위 '찌질한' 알파보이, 알파걸들이다. 밖에서는 잘할지 모르지만 개인 차원에서 놓고 들여다보면 속빈강정 같은 존재들. 교실 밖에서는 할 줄 아는 게 아무것도 없는 헛똑똑이 청춘들. 연애나 대인관계에 답답할 만큼 미숙하고, 소비나 경제생활은 대책 없이 충동적이고, 생활을 하면서 부딪힐 수밖에 없는 여러 가지 크고 작은 문제에 대한 지식도 거의 없는, 찌질하기 짝이 없는 친구들이 오로지 '공부만' 잘한다는 것이다.

연애를 시작했지만 서툴기 그지없다. 매사에 자신만만하던 모습은 간 데 없고, 질질 짜기만 한다. 충동적이고 표피적인 이벤트와 스킨십으로만 관계를 연명하다가 쉽게 상처주고 쉽게 상처받는다. 조금만 사이가 꼬이면 어떻게 해야 할지 몰라 우왕좌왕하다가 냉전으로 확산되기 일쑤다.

친구들과의 관계에서도 마찬가지다. 미니홈피나 블로그에서는 그렇게 능숙하던 대인관리가 막상 만나서는 미숙하기 그지없다. 실생활에서는 또 어떤가? 원룸 임대계약같이 복잡한 일은 말할 것도 없고, 할인점에서 간단한 환불요구도 제대로 하지 못한다. 요리, 청소, 빨래 같은 건 도무지 해본 적이 없다. 돈으로 해결하는 것도 한두 번이다. 직접 해보겠다고 나섰다가 일만 저지르기 일쑤다. 그러니 결국…… 엄마만 찾는다.

이래 놓고 '알파'면 뭐하겠는가? 그런데 문제는, 많은 찌질이 알파들이 자기는 공부 잘하고 스펙 좋으니 괜찮을 거라고 생각한다는 점이다. 괜찮기는 뭐가 괜찮은가. 사회에 뛰어들면 밑천이 단박에 드러나버리는 것을. 직장에서 일 잘하는 것은 학교 다닐 때 공부 잘했던 것과는 그다지 상관이 없다는 것을, 그대들의 직장선배들은 누구나 다 안다. 어른으로서 자신을 책임질 줄 모르는 사람은 아무리 스펙이 좋아도 소용이 없다. 그런데도 이 찌질이들은 대학시절은 물론, 심지어는 졸업하고 직장생활을 하면서도 계속해서 누군가에게 기대려는 경향이 있다.

가끔 인터넷에 개똥녀니 패륜남이니 하면서 기본적인 매너가 갖춰지지 못한 젊은이들에 대한 논란이 일 때가 있다. 이런 사건이 날 때마다 사람들은 그들의 개인적 몰상식을 비난하지만, 나는 이것이 구조적 문제라고 생각한다. 어릴 때부터 '공부 잘하는 것이 착한 것' 혹은 '예쁜 것이 착한 것'이라는('착한 몸매'라는 식의 표현을 생각해보라) 말을 듣고 자라온 세대가, 정작 어떻게 처신하는 것이 '착한' 것인지에 대해서는 전혀 배우지 못했다.

문제는 성인이 되면서 '공부만 잘하면 되는' 시기는 끝이 난다는 데 있다. 오히려 이때부터는 '공부 빼고 나머지 것'에서 승부가 나는 시기가 시작된다. 그런데 어른이 돼서도 서류심사에나 필요한 스펙을 경쟁적으로 갖추기 위해 '공부만 잘하면 된다'는 사고방식과 생활을 계속 유지하는 것이다. 그 결과 스펙은 완벽하게 갖추어 알파라는 칭찬을 들을지언정, 정작 일상생활과 인간관계에서는 찌질하다는 소리를 듣게 된다.

직장을 구하기까지는 어느 정도 스펙이 필요할지 몰라도, 그 이후의 성공과 행복을 좌우하는 것은 전적으로 스펙 이외의 것들이다. 그러므로 그대는 영어에만 능숙할 것이 아니라 인간관계도 능숙해지는 법을 배워야 한다. 지식만 높일 것이 아니라 인생의 지혜도 함께 높여야 한다.

스펙 높이기를 위해 애쓰는 노력의 10분의 1만큼만이라도, 나는 그대들이 인생의 지혜를 높이기 위해 관심을 두고 또 투자했으면 좋겠다. 지식이 아니라 지혜를 갖춘 어른으로 성장했으면 좋겠다. 더 이상 '찌질한 알파걸, 알파보이' 소리는 듣지 않도록 말이다. 진정한 '알파 인생'은 결코 스펙이 만들어주지 않는다.

왜 평생 한 번도 제대로 써먹지 못할 어려운 영어단어는 잊지 않으려고 노력하면서, 그대의 행복을 좌우하게 될 중차대한 일들에 대해서는 배우려고 노력하지 않는가?

# 대학은 그대에게 결승선인가, 출발선인가?

고등학교를 졸업할 때까지도 그는 눈에 띄지 않았다. 불러주는 대학팀이 없어서 애를 태우다 가까스로 명지대학교에 입학했다. 허정무 감독이 2000년 그를 국가대표로 발탁했을 때, 사람들은 "명지대 감독하고 바둑 두다가 뽑았느냐?"고 비아냥대기까지 했다고 한다.

워낙 유명한 에피소드라서 많은 사람들이 누구 이야기인지 알 것이다. 대한민국 최고의 실력을 갖춘, 인기절정의 '국민 캡틴' 박지성 선수가 국가대표에 발탁된 사연이다. 그는 어렵게 들어간 대학, 그곳에서 꽃을 피웠다. 그에게 대학은 황홀한 전성기를 알리는 시작이었다.

거의 모든 교장선생님들의 졸업축사에 꼭 등장하는 표현이 있다. '졸업은 새로운 시작'이라는 것인데, 이 말은 나름 근거가 있다. 졸업식을 영어로 'commencement'라고 하는데, 이 단어는 '시작'이라는 뜻도 가지고 있다. 나는 이 중의(重義)가 고등학교를 졸업하고 대학교에 입학하는 친구들에게 특히 잘 어울린다고 생각한다. 고등학교를 졸업하며 미성년으로서 인생의 한 시기를 마감하고, 성년으로서 사회적 출발을 하는 시기에 서 있기 때문이다.

그런데도 고등학교를 졸업하는 많은 학생들이 대학을 마치 인생의 결승점인 줄 안다. 하긴 그 입장에서는 그럴 수도 있을 것이다. 그동안 얼마나 '대학, 대학, 대학' 하며 달려왔던가? 그래서인지 매년 3월 2일 입학식을 치르는 대학 신입생은 크게 둘로 나뉜다. 원하는 대학과 학과에 입학한 친구와, 그렇지 못한 친구. 만족하는 친구들은 이제 그 학벌로 인생의 많은 문제가 해결될 것으로 간주하고, 만족하지 못한 친구들은 방황하거나 더 낫다고 여겨지는 결승점을 향해 반수(半修)나 편입을 준비하기도 한다.

"대학 가서 미팅할래? 공장 가서 미싱할래?" "1시간 더 공부하면 마누라 얼굴(혹은 남편 직업)이 달라진다!" 인터넷에 떠도는 엽기급훈이다.

재미있다고 받아들이면 그만이겠지만, 섬뜩하기 그지없다. 대학이 인생을 좌우한다는 위협이 아닌가. 급훈이 이 정도니, 선생님과 부모님들의 협박은 이루 말할 수 없을 것이다. "행복은 성적순이 아니잖아요." 하며 작은 반항을 해보지만, 학벌사회의 대대적인 공세 앞에서 수험생은 무력하다. 대한민국 고등학생에게 '좋은 대학을 나와야 성공한다'는 명제는 절대적이다. 그러니 대학을 결승점으로 생각하는 것은 어쩌면 당연한 일일 테다.

하지만 분명히 말하자. 대학은 결승선이 아니다. 새로운 출발선이다. 어느 대학, 학과를 졸업하느냐 그 자체가 인생의 최종목적이 아니기 때문이다. 대학이란 우리가 행복한 삶 혹은 성공한 인생을 살기 위한 여러 '수단' 중 하나다. 그런데도 다들 '학벌', 즉 출신 대학을 필요 이상으로 중요하게 여긴다. '좋은 대학을 나와야 성공할 수 있다'고 하면서.

대한민국에서 학벌이 중요하다는 것은 부인할 수 없는 사실이다. 슬프지만 인정한다. 하지만 그렇다고 해서 '좋은 대학을 나와야 성공한다'는 말이 100% 정확한 것은 아니다. 이 말은 좋은 대학을 나오지 못하면 성공할 수 없다는 의미인데, 그렇지 않기 때문이다. 굳이 정확하게 표현한다면 '좋은 대학을 나오면 특정 영역에서 성공할 확률이 높아진다' 정도다.

대학원에 다닐 때, 나는 서울대학교 행정대학원에서 운영하는 '국가정책과정'이라는 최고경영자 과정의 운영조교를 담당했다. 이 과정은 우리나라에서 가장 역사가 깊고 권위도 높은 편이어서 항상 '성공한 사람들'로 북적거렸다. 구체적으로 이 과정의 입학자격은 다음과 같았다. '국회의원, 정부 및 각 기관의 3급 이상 공무원, 각 군(軍)의 장성, 정부투자기관의 장(長) 및 임원, 언론기관의 고위간부, 사기업체의 장 및 임원, 사회단체 지도자, 기타 이에 준하는 직위에 있는 자.'

즉 세속적으로 말해 대한민국에서 '성공했다'는 사람들이 모인 것이었다. 이 과정은 항상 경쟁률이 높아서 입학시즌마다 조교인 나는 응시원서를 정리하느라 애를 먹었는데, 그 와중에도 지원자 일람표를 만들 때마다 내심 놀랐다. 소위 'SKY'라고 하는 명문대 출신은 거의 없었기 때문이다. 나 역시 귀가 닳도록 '좋은 대학 나와야 성공한다'는 말을 들으며 고교시절을 보냈고, 자연스럽게 이 말을 내면화하게 됐던 모양이었다. 그런 내게 그들의 '학벌'은 예사롭게 받아들여지지 않았다.

물론 당시는 우리나라가 고속성장을 하던 시기여서 우수인력에 대한 초과수요가 발생하던 때였다는 사실을 감안해야 할 것이다. 그때는 소위 학벌이 낮은 사람들에게도 기회가 많았다. 하지만 취업이 어려워지고 학벌이 더 중요해졌다는 현재도 사정은 비슷하다고 생각한다. 법조인이나 의사처럼 시험에 합격해서 자격증을 받아야 하는 전문직에는 흔히들 말하는 명문대 출신이 많지만, 사회와 조직을 끌고 가는 톱(top)의 자리에는 비명문대, 심지어 대학을 졸업하지 않은 분들이 여전히 훨씬 많다.

왜 그럴까?

먼저 명문대 출신들의 보수적 성향을 지적할 수 있다. 조직에 몸담고 있든, 자기 사업을 하든 톱의 자리에 오르려면 자기를 모두 내던지는 '생의 도박'이 필요한데, 명문대 출신은 이를 꺼리는 경우가 많다. 그들은 상대적인 학벌의 기득권을 활용할 수 있는 범위 안에서 보수적으로 진로계획을 설정하는 편이다.

또한 대한민국이 아무리 학벌사회라 하더라도, 성공하는 데는 출신 대학보다 더 중요한 요인이 훨씬 많다. 미국의 현실도 크게 다르지 않은 모양이다. 어느 신문에 〈잭 웰치 부부의 성공 어드바이스〉라는 연재가 있었는데, 거기에 'MBA의 효과는 단 1년뿐'이라는 기사가 실렸다. 명문대에서 MBA를 받은 인재는 좋은 일자리와 높은 초임을 보장받는 것 같지만 그 후광효과는 잠시, 길어야 1년 정도일 뿐이며, 그 이후에는 학벌에 관계없이 회사에서 성과를 내는 사람이 승진하고 대우받는다는 것이다. 오히려 큰 기대를 받고 채용된 MBA 출신들이 그에 부응하는 모습을 보여주지 못할 때는 더 빨리 침몰하게 된다고 한다. (註 : 〈잭 웰치 부부의 성공 어드바이스〉, 'MBA 학위는 성공의 보증 수표인가', 중앙SUNDAY, 2009. 8. 16. 30면.)

우리나라에서 '명문대 효과'가 정확히 그렇다. 좋은 대학, 인기 학과의 졸업생이라는 스펙은 취업할 때에만 도움이 될 뿐, 일단 취직하고 나면 얼마나 인간관계가 원만하고 업무를 솜씨 있게 처리하느냐에 성공 여부가 결정된다. 물론 우리나라 사람들이 인맥을 중요시하는 경향이 있어서 같은 학교 후배들을 끌어준다는 불평이 다소 들리지만, 요즘에는 좋은 회사일수록 인사에 그런 영향이 없도록 철저히 막고 있다.

이것은 '조직경제학'의 시각에서 보면 지당한 현상이다. 신입사원에 대해서는 앞으로 얼마나 일을 잘할 것인지에 대한 정보가 없으므로, 조직은 이러한 정보 비대칭을 해소하기 위해 출신 대학 같은 신호(signal)를 가지고 선발한다. 하지만 입사하고 나면 사정이 다르다. 해당 인력을 평가할 자료가 많아지기 때문에, 학벌과 같은 대리지표는 사용할 필요가 없다.

결론적으로 학벌은 입사할 때는 중요할지 몰라도, 그 이후에 미치는 영향은 시간이 갈수록 줄어든다. 더구나 요즘에는 회사마다 심층 면접 등 다양한 전형방법을 개발하고 있어 학벌이 입사하는 데 미치는 영향력도 줄어드는 경향을 보인다.

물론 당장 취직이 급한 입장에서는 "그래도 같은 조건이면 학벌이 중요하다잖아요."라는 푸념이 나올 법도 하다. 하지만 인생 전체에서 보면 취직 자체가 끝이 아니다. 또한 우리가 흔히 '성공했다'고 하는 삶을 살기 위해 필요한 것은 다양한 지식, 의사소통 능력, 리더십, 책임감, 성실함, 업무처리 능력, 조직적응력 등 셀 수 없이 많다. 출신 대학, 학과는 그중 극히 일부다. 그러므로 그대는 이제 '학벌 이외의' 것들을 준비해야 한다. 대학은 그대의 경쟁력을 쌓는 출발선일 뿐이다.

'대학은 시작에 불과하다'는 사실이, 어떤 친구에게는 좌절스런 소식일는지 모르겠다. 십 몇 년을 투자해 거둔 것이 아무것도 보장해주지 않는다니 말이다. 그러나 사실 인생에 무언가를 '보장'해주는 것 따위는 없다. 그냥 조금 유리한 출발선에 서게 해주는 것뿐이다. 그런가 하면 혹은 이 사실이, 어떤 친구에게는 희망의 메시지일는지도 모르겠다. 지금까지 살아온 인생의 한 장(章)을 접고, 새로이 출발할 수 있는 기회를 가지게 됐으니 말이다.

그대가 좌절했건 환호했건, 대학은 출발선이요, 시작이다. 황홀한 시작이다. 그 시작이 황홀하다고 하는 이유는 대학에서야말로 무엇을 해도 양해받을 수 있고, 자유분방한 시도를 허용해주기 때문이다. 그대가 대학이라는 울타리 안에 있는 한, 아직은 그대의 실수에 대해 다들 너그럽다. 사회도, 부모도, 그리고 그대 스스로도. 그러니 성급히 결과를 누리려 하지 말고 과정을 즐겨라. 모든 아쉬움과 자만을 함께 접고, 그 즐거운 준비를 시작해라.

그래서, 대학은 출발선이다. 황홀한 시작이다.

# 스펙이 아닌,
# 그대만의 이야기를 만들어가라

수시 입학시험 서류평가를 하다 보면 실로 엄청나게 다양한 경력을 자랑하는 지원서를 만날 때가 있다. 하지만 수(數)만 많았지 가점(加點)을 받을 만한 알맹이는 없는 경우가 대부분이라서 합격에 도움이 되지 못할 때가 많다. 그냥 '애랑 엄마랑 무지 고생했겠다' 싶은 생각이 들 뿐이다. 안타깝지만 헛고생한 것이다.

물론 그 심정은 충분히 이해할 수 있다. '혹시나' 하는 마음 때문일 것이다. 자식의 입시를 앞둔 부모의 불안함을 잘 아는 학원에서는 이를 이용해 필요 이상의 경력을 쌓게 만든다고 한다. 하나둘 주위에서 하기 시작하면 '우리 애만 안 했다가 불이익을 보지 않을까?'라는 불안이 극대화되어 결국 울며 겨자 먹기 식으로라도 하고야 만다.

안 그래도 불안한데 남들이 하기 시작하면, 그걸 견뎌낼 장사는 없다. 결국 너도나도 아무 소용도 없는 경력 쇼핑에 나서게 되는 것이다.

대학입시가 끝나도 이 거대한 악순환은 계속된다. 취업을 위한 스펙 모으기 광풍이 그것이다. 경쟁은 치열하고, 주위에서는 다 한다고 하고, 아무 준비도 안 하자니 불안하고, 혹시나 하는 생각은 강하게 들고…….

사실 불안하기로 치면 취업이 대입보다 훨씬 더하다. 대학에서는 내부적으로 인정하는 사정기준을 가지고 채점결과에 입각해 되도록 공정하게 심사하지만, 상대적으로 기업은 그 기준이 명확하지 않을뿐더러 간혹 아주 엉뚱한 이유로 취직이 되기도 하기 때문이다. 예측 가능성이 낮으니 불안은 훨씬 더 크다. 젊은이들이 스펙 사냥이라도 나설 수밖에 없는 이유가 여기에 있다.

일례로 요즘 학생들은 심할 정도로 학점에 민감하다. 내가 가르치는 교양과목은 'B학점 40%, C학점 이하 30%'의 상대평가를 철저히 지켜야 하기 때문에 자기 학점에 불만이 있는 학생이 꽤 나온다. 학기가 끝날 때마다 정해진 수순처럼 성적산출 과정에 문제가 없었는지 확인해달라는 요구가 쏟아지고, 제발 학점을 올려줄 수 없느냐는 이메일도 자주 받는다. 심지어 재수강을 할 수 있도록 아예 학점을 낮춰달라는 요구도 매 학기 한두 건은 된다. 언젠가는 A0를 받은 학생이 혹시 A+인데 성적이 잘못 나온 것 아니냐고 확인하러 찾아온 적도 있다. 물론 학점이 학과배정, 장학금, 취업 등에서 매우 중요한 기준이 되니 이해는 하지만, 과거에 비해 정말 유난해졌다는 생각은 떨칠 수가 없다.

학점이 스펙 관리의 중심에 선 가운데, 자격증, 인턴십, 공모전, 봉사활동, 아르바이트 등이 소위 '취업 5종 세트'를 이룬다. 영어와 한자는 학점만큼이나 기본이고, 학회 활동, 학생회 활동, 동아리 활동, 농촌활동 등 각종 활동도 중요한 스펙의 일부란다. 여기에 휴식이나 재충전의 개념이었던 여행도 오지탐험이나 국토대장정 같은 스펙성 여가로 바뀌고 있다.

20대라는 시기 전체가 스펙을 위한, 스펙에 의한, 스펙의 나날로 변해가는 것만 같다. 심지어 로스쿨 학생들도 취업을 원활히 하기 위해 어학인증, 수상경력, 실무수습 등 스펙을 쌓아두지 않으면 불안해서 못 견딘다고 하니, 그 광풍(狂風)이 어느 정도인지 짐작할 것이다.

모든 스펙이 전부 무의미하다는 말을 하고자 하는 것은 아니다. 하지만 자신의 적성과 목표에 대한 고려가 없는, '다다익선(多多益善)' 식의 마구잡이 스펙 쌓기는 돈과 시간의 낭비라는 말을 해주고 싶다.

그렇다면 어떤 스펙이 필요할까? 입장을 바꿔, 그대가 사람을 뽑거나 물건을 구매한다고 생각해보라. 그대 같으면 어떤 사람을 뽑고, 어떤 상품을 사겠는가?

마케팅을 잘하는 회사일수록 제품의 장점을 중구난방 자랑하지 않는다. 예를 들어 어떤 음료가 새로 나오면, '맛 좋고, 영양도 풍부하고, 병모양도 예쁘고……' 이런 식으로 광고하지 않는다. '네가 그냥 커피라면, 이 사람은 내 ○○○야' 이런 식이다. 이 회사 사장님이라고 자기네 상품이 얼마나 맛있고 새로운지 이야기하고 싶지 않았겠는가? 하지만 이것은 어느 개그맨의 말대로 '그건 니 생각이고~'일 뿐이다.

마케팅의 핵심은 자기를 자랑하는 것이 아니라, 소비자가 그것을 구매할 이유를 딱 한 가지라도 제대로 알리는 것이다. 그 이유가 제품에 제대로 녹아들었을 때, 그게 바로 제대로 된 '브랜드'가 된다. 취업도 똑같다. 내가 얼마나 열심히 살았는가를 구구절절 알리는 것은 의미 없다. 기업이 왜 자기를 뽑아야 하는지, 단 한 가지 이유라도 제대로 전달하는 것이 중요하다.

이 설득은 스펙을 나열한다고 해결되는 것이 아니다. 자기 자신을 마케팅하고, 자기 이름을 하나의 '브랜드'로 만드는 작업이 필요하다. 면접관을 움직일 수 있는 자기만의 이야기가 있어야 한다는 것이다. 이것이 곧 브랜드를 만드는 주요 기법인 '스토리텔링'이다.

예를 들면 이런 것이다. 대학원 면접시험을 보는데, 다른 학교에서 다른 전공을 했던 학생이 응시했다고 가정해보자. 필기시험을 잘 치르기는 했지만 명문대 출신도 아니고, 학점도 좋지 않고, 전공자도 아니어서 합격시키기에는 선뜻 마음이 내키지 않았다. 그때 그 학생이 이렇게 말한다.

"제가 전공도 다르고, 학점도 좋지 않은 건 잘 알고 있습니다. 사실대로 말씀드리자면, 제 전공이 적성에 맞지 않아 방황을 좀 했습니다. 그래서 학점이 그렇게 됐고요. 하지만 3학년 때 ○○학을 알게 된 후 마음을 바로 잡았습니다. ○○학 관련 과목에서는 학점도 잘 나왔고요. 새롭게 마음을 다잡고 ○○학을 정말 열심히 공부해보고 싶습니다. 그래서 대학원까지 진학할 마음을 먹게 된 것입니다."

실제로 성적표를 살펴보니 전체 평점은 낮지만, ○○학 관련 전공과목은 거의 A학점이다. 단지 평균 학점이 높은 친구와 이 친구 중에서 한 명을 뽑아야 한다면, 그대라면 누구를 뽑겠는가?

만일 이 친구가 합격할 수 있었다면, 그건 자기만이 들려줄 수 있는 이야기의 힘 덕분일 것이다.

기업은 어떤 인재를 원할까? 아니, 어떤 이야기를 원할까? 기업에서 궁극적으로 뽑고 싶은 인재는 '회사의 성장에 기여할 수 있는 인물'이다. 그리고 그럴 가능성이 엿보이는 이야기다. 초등학교만 나왔더라도 회사의 매출 신장에 크게 기여하리라는 확신이 100%면, 모든 기업이 그를 뽑을 것이다. 문제는 그 100%의 확신을 어떻게 할 수 있느냐다.

스펙이란 어떤 사람의 기여 가능성을 판단하기 곤란할 때, 이를 점칠 수 있게 하는 대리지표일 뿐이다. 학벌, 학점, 토익성적 등은 학습능력, 지능, 성실성에 대한 대리지표이고, 각종 자격증이나 여러 경험 등은 업무관련 지식, 조직적응력, 인성에 대한 대리지표다.

두산 그룹의 박용만 회장은 이런 이야기를 했다.

"스펙은 과거의 행적을 통해 미래의 성과를 가늠해보는 지표 구실을 합니다. 미래의 역량을 쌓기 위해 과거 어떤 노력을 기울였는가를 객관적으로 보여줄 뿐, 스펙이 미래의 성과를 담보하는 건 아닙니다. 물론 스펙을 위한 스펙은 말할 필요도 없고요. 이런 스펙은 말하자면 화장발 같은 거예요." (註 : '경영구루와의 대화 〈3〉 박용만 두산 회장', 중앙SUNDAY, 2010. 10. 3. 25면.)

인사담당자가 가장 중요하게 여기는 것은 (스펙을 통해서라도 보고 싶은) 업무수행 능력이지, 스펙 자체가 아니다. 모든 이들이 입사를 희망하는 기업의 사장도, 사석에서 만나보면 한결같이 하는 말이 있다. '인재가 정말 없다, 좋은 학생 있으면 꼭 좀 추천해달라'는 것이다. 아이러니하지 않은가? 최고의 스펙을 갖춘 인재가 그렇게 몰리는데, 정작 기업에서는 뽑을 만한 인재가 없다고 걱정한다.

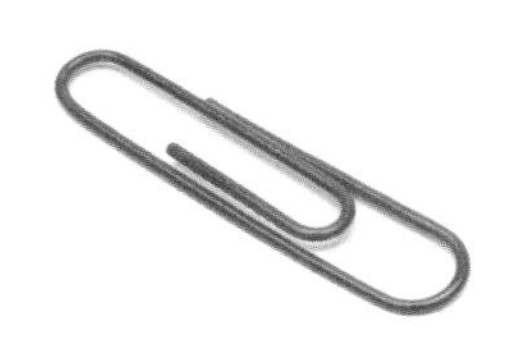

브랜드의 핵심은
'하나의 초점'이다.
그대가 가장 잘하는 것,
그 한 가지에 집중해
그대만의 이야기를 들려주어라.

그 사장이 추천받고 싶은 인재가 과연 '스펙이 더 좋은 인재'일까? 아니다. 진정으로 회사에 기여할 수 있는 사람일 것이다. 이 구직난 속의 인재난이 의미하는 진실은, 기업 입장에서 스펙이란 하나의 수단이지 목적이 아니라는 것이다. 그러므로 보여주어야 하는 것은 스펙의 목록이 아니라, 그 스펙을 통해 말하고자 하는 나의 '기여 가능성'이다. 그것을 '자신만의 이야기'를 통해 드러내 보여야 한다.

무조건 많이 쌓은 스펙이 좋은 것이 아닌데도 많은 젊은이들이 이 점을 간과하고 있다. 취업의 장을 스펙의 경연장으로 착각하는 것이다. 수단이 목적으로 변해버리는 전형적인 예다.

많은 친구들이 이렇게 착각하게 된 또 한 가지 이유는 잘못된 귀인(歸因) 때문이다.

한두 번 취업에 실패하고 나면 그 원인이 어디에 있었는지 찾게 된다. 그런데 대체로 우리는 무언가에 실패했을 때 그 원인을 나 자신이 아닌 외부적인 것 또는 객관적인 이유로 돌리는 경향이 있다. 예를 들어 어떤 친구가 면접에서 진실해 보이지 않는다는 이유로 낙방했지만, 정작 본인은 학점이 낮아서라고 생각하는 식이다. 취업 블로그 같은 곳에서 이런 경험담이 공유되기 시작하면, '역시 스펙!'이라는 신화만 확대, 재생산된다.

회사마다 무게중심이 약간씩 다를 수는 있겠지만, 조직이 움직이려면 참으로 다양한 인재가 필요하다. 꼼꼼한 사람, 창의적인 사람, 저돌적인 사람, 외국어를 잘하는 사람, 사교성이 좋은 사람, 머리가 좋은 사람, 우직한 사람 ……. 그러므로 이 모든 덕성을 두루두루 갖췄다고 자랑하며 스펙을 모으기보다는, "이것 하나는 내가 제일이다!"라고 어필할 수 있는 증거를 보여주는 것이 중요하다. 스펙을 쌓겠다면 넓고 얕은 스펙보다는 좁고 깊은 스펙이 낫다.

예컨대 어학은 잘 못하지만 친화력은 끝내주는 친구가 있다고 하자. 모든 시간과 노력을 투입해 부족한 토익점수를 올려야 할까, 아니면 자신의 친화력이 얼마나 대단한지를 보여줄 수 있는 이야기를 만들어야 할까? 나는 당연히 후자라고 생각한다. 이런 경우라면 기업 중에서도 예컨대 유통회사처럼 영업력이 중요한 회사에 지원해 "저는 다른 건 부족할지 몰라도 특유의 친화력을 발휘해 영업만큼은 잘할 수 있습니다!"라고 당당히 외칠 만한 이야기를 들려줘야 한다는 것이다.

요즘처럼 치열한 경쟁을 뚫기 위해서는 그저 그런 스펙이 아니라 확실한 자기 브랜드가 있어야 한다. 브랜드의 핵심은 '하나의 초점'이다. 그대가 가장 잘하는 것, 그 한 가지에 집중해 그대만의 이야기를 들려주어라.

이러한 전략을 사용하려면 전제되어야 하는 것이 있다. 자신이 무엇을 제일 잘하는지 빨리 깨달아야 한다. 스스로의 지향점이 분명해야, 주위에서 다들 쌓는 스펙이 아니라 자기만의 이야기를 만들 수 있다. 자기 인생의 지향점에 대한 깊은 성찰이 필요하다.

막연한 불안감에 피라미 떼처럼 몰려다니며 좋은 학원을 알아보기에 앞서, 하얀 노트에 자신의 꿈과 적성을 먼저 적어보라.

답은 그대 안에 있다.

# 20대, 돈보다 중요한 것

나는 대학생 때 수입이 좋았다. 당시 정권이 사교육비를 줄인다는 이유로 중고등학생의 학원 출입을 엄격하게 금지하면서 대학생의 과외만 허용해줬기 때문이었다. (예나 지금이나 사교육비 절감대책이 개념 없는 건 달라진 게 없다.) 특히 나는 고등학교 때 굉장히 잘 가르치는 분께 영어를 배웠는데, 사람들은 그분에게 배우지 못하게 되니까 그 수제자(?)인 나를 찾아왔다. 과외를 의뢰하는 건수도 많았고, 단가도 높았다. 생각해보면 교수가 되기 전까지 내 인생에서 가장 경제적으로 수입이 좋았던 것은 대학생 때였다.

내 대학생활은 상당히 방만했고 공부도 건성건성 했던 편이었는데, 지금 생각해보면 적성이 맞지 않은 데에 더해, 과외를 많이 한 탓도 컸던 것 같다. 수업까지 빼먹으면서 과외를 하러 다녔을 뿐 아니라, 경제적으로 넉넉하니까 어떤 위기의식 같은 것이 없었다. 아버지는 만날 술만 먹고 다니던 내게 '헝그리 정신이 없다'고 심하게 야단치고 용돈도 끊고 그러셨는데, 그도 그럴 것이 나는 헝그리하지 않았다. 몰래 과외를 하면 됐으므로 용돈이 끊긴 절박함도 없었다. '지금도 먹고살 만한데 뭘 그렇게 힘들게 살아야 하나?' 하는 나태함이 은연중에 있었다.

유학할 때에도 그랬다. 집이 굉장히 부유하지 않은 한 유학생활이 경제적으로 궁핍한 건 다들 마찬가지인데, 나는 아버지가 돌아가신 직후 상당히 어려운 시기에 유학을 떠났는데도 다른 사람들보다는 상대적으로 여유가 있었다. 과외 덕분이었다.

내가 박사학위를 받은 학교는 미국 LA에 소재해 있었는데, 그곳에는 조기유학 온 한국 중고생이 무척 많았다. 나는 아주 오랫동안 과외를 해왔기 때문에 이미 상당한 노하우를 가지고 있었고, 그게 소문이 나서 내게 배우겠다는 학생이 계속 있었다.

경제적인 어려움으로 많은 학생들이 힘든 아르바이트를 하고 있다는 것을 잘 알고 있다. 더구나 요즘 대다수의 아르바이트는 착취에 가까울 만큼 보수가 낮다. 그런 마당에 갑자기 내 과외 얘기를 꺼내서 무척 미안하다. 그걸 알면서도 이 이야기를 하게 된 이유는 내 자랑을 하기 위해서가 아니라, 그대들에게 다짐을 받아두기 위해서다.

고액의 아르바이트는 모든 아르바이트생들의 꿈이지만, 그 안에는 치명적인 문제가 있다. 어느 날 진짜 수입이 많아지기 시작하면서부터 주객이 전도되더란 말이다. '지금 이렇게 수입이 좋은데, 뭐 다른 노력할 것 있겠나?' 하는 생각이 스멀스멀 들더란 말이다. 특히 가족까지 부양해야 했던 유학시절에는, 돈만 있으면 편하기 그지없는 미국 생활을 경험하면서 '고생해 학위 받아서 가능성도 적은 교수가 되겠다고 아등바등하느니, 여기서 조기유학생을 교육하는 학원을 창업하면 훨씬 편한 인생을 살 것 같다'는 생각이 자꾸만 들었다. 돈만 놓고 생각한다면 그것도 또 한 판의 인생이기도 했으니 말이다.

돌이켜보건대 그 유혹을 벗어나기란 생각만큼 쉽지 않았다. 그런 맥락에서 보자면, 요즘처럼 등록금은 오르고, 취업은 쉽지 않고, 학자금 대출이다 뭐다 해서 대학 졸업과 동시에 빚쟁이가 되는 현실에서는 돈의 유혹이 한층 더 클 것 같다. 실제로 요즘 많은 학생들과 취업준비생들이 적지 않게 알바를 한다. 심지어 너무 열심히 하다 학업을, 취업준비를 등한시하는 경우도 적잖은 것 같다.

문제는 여기서부터 생긴다. 알바가 가혹하게 저임금이면 상대적 박탈감 때문에 힘들고 허탈하다. 그러나 더 큰 문제는 수입이 지나치게 좋은 경우다. 일부의 사례이지만, 그 알바의 수입이 꽤 좋은 경우에는 '굳이 졸업을 해야 하나?' 혹은 '취업을 해도 초봉이 형편없다던데' 하는 생각마저 든다고 하니 말이다.

아주아주 일부의 극단적인 경우이겠지만, 잠깐 급하게 돈이 필요해서, '한두 달만'이라고 스스로에게 굳게 약속하고, 술집에서 알바를 시작한 여성들이 그 보수에 취해서 원래 직장으로, 원래 자기 자리로 돌아오지 못하는 경우조차 있다고 한다. 이런 경우는 돈이 문제가 아니다. 자칫하면 영영 자기 인생으로 돌아오지 못할 수도 있다. 역설적이게도, 수입이 높을수록 더욱 그렇다.

젊은 날의 경제적 풍요는 때로 독(毒)이 될 수 있다. 특히 그것이 자신이 꿈꾸는 업(業)에서 얻어진 것이 아닐 경우에는 더욱 그렇다. 청년기에 마땅히 가져야 할 삶의 각성을 마취시켜버리기 때문이다. 절실함을 잃으면 미래가 흐려진다.

물론 적성에 맞는 알바를 하며 자신의 목표에 다가가는 것은 매우 바람직한 일이겠지만, 이처럼 돈이 기준이 되어 본업을 업신여기는 것은 무척 경계해야 한다. 중요한 건 당장의 수입이 아니라 평생을 통해 이루어야 할 자신의 꿈이기 때문이다.

그러므로 그대의 가난을 긍정적으로 받아들여라. 동력으로 삼아라. 그러겠다고, 나와 약속해달라.

젊은 그대는 일의 가치를 당장의 수입으로 환산해 평가해서는 안 된다. 대신 그대를 어떤 사람으로 만들어줄 수 있는가를 기준으로 일의 가치를 매겨라.

돈보다 소중한 것, 그것은 바로 그대의 미래다.

# 우리에게 대학이란 무엇인가?

대학. 중고등학교 때부터(사실 우리나라 현실에서는 태어나면서부터), 그렇게 청소년기를 다 바쳐 준비해왔던 그 대학.

그대에게 질문을 하나 해보자.

대학이란 무엇인가?

그대는 답을 가지고 있는가? 혹시 당황스럽지는 않은가? 어릴 때부터 그렇게 입학을 소망했으면서도, 정작 대학이 어떤 곳인지 진지하게 생각해본 적은 없지 않은가? 대학생이 되어 자신의 가장 중요한 생활의 터전으로 삼고 있으면서, 대학의 본질에 대해 한 번이라도 심각하게 생각해본 적이 있는가? 이 글은 이에 대한 답을 찾기 위해서 존재한다.

그대가 대학 밖에 있다면, 이 질문을 '그대의 20대가 가져야 할 것이 무엇인가?'로 바꾸어 생각해도 될 것이다. 답은 다르지 않을 터이므로.

다시 한 번 묻겠다. 대학이란 무엇인가? 그대의 젊음이 추구해야 할 것은 무엇인가?

국사시간에 태학(太學)이 고대 중국이나 고구려의 대학이었다고 배우긴 했지만, 그것은 지금 대학의 전신(前身)이라기보다는 대학의 기능을 수행하는 당시의 '고등교육기관'이었다고 보는 것이 맞을 것이다. 현재 우리가 다니고 있는 대학의 모습과 제도는 13세기 초 서유럽에서 연원한 것이다. 볼로냐, 파리, 옥스퍼드 대학이 대표적 모델이다.

중세 이후 오늘에 이르기까지 대학은 갖은 역사의 질곡 속에서도 진리를 탐구하고 지성인을 길러내기 위해 꾸준한 변화를 계속해왔다. 거기엔 역사가 있고, 시대적 사명이 있었다. 그냥 학원 같은 기관이 아니었던 것이다. 단적으로, 대학을 한자로는 '大學'이라고 쓴다. 그대로 해석하면 '큰 배움을 얻는 곳'이라는 뜻이다. 그냥 배움이 아니라 커다란 배움을 얻어야 하는 곳이다. 나는 '대학'에서, 나아가 청춘을 바쳐 꼭 해야 할 세 가지가 있다고 생각한다.

커다란 지식, 커다란 책임, 그리고 커다란 꿈.

## I
## 커다란 지식

대학은 단순히 지식을 전달하는 기관이 아니다. 고등학교보다 더 어려운 내용을 가르치는 교육기관 정도가 아니라는 것이다. 대학이 다른 교육기관과 본질적으로 다른 점은, 새로운 학문적 진리를 탐구하는 '연구'를 수행한다는 데 있다. 창조적인 지식을 생산하는 일은 사실 교육에 앞서는 대학의 가장 본질적인 기능이다.

그렇기 때문에 대학이 기본적으로 길러내고자 하는 인재는 기업이나 사회에서 원하는 기능인이 아니라, 그런 학문적 연구를 할 수 있는 지성인이다. 이를 '학문후속세대'라고 한다. 가끔 기업의 인사담당자들이 '대학 졸업생들을 뽑아도 바로 업무에 투입할 수가 없다. 새로 교육을 시켜야 한다'며 불만을 토로하는데, 나는 이것이 잘못된 문제제기라고 생각한다. 대학은 예비 신입사원 양성기관이 아니다. 당장 기업에서 써먹을 수 있는 실용지식을 전수하는 곳이 아니라, 그런 지식을 받아들이고 비판할 수 있는 지성과 학습능력을 연마하는 곳이다.

그런데도 기업과 사회는 물론, 대학생 스스로도 자꾸만 직장생활에 필요한 도구적 지식만이 대학에서 배워야 할 지식의 전부라고 생각하는 경향이 있다. 수요자가 이렇게 변하고 있으니, 공급자인 대학 역시 큰 지식을 주지 못하고 당장 취업에 도움이 될 '작은 지식'에만 집중하고 있다.

부디 명심하기 바란다. 대학의 본질은 올망졸망한 개인적 소망이 모여 있는 스펙의 경연장이나 취업준비 학원이 아니다. 사회와 기업이 나아갈 바를 향도하고 본원적 변화를 모색하는, 도구적 지식이 아닌 본원적 지혜를 연마하는 곳이다.

## 2

### 커다란 책임

역사적으로 대학은 사회로부터 많은 특혜를 받아왔다. 물질적인 지원이나 정신적인 존중은 물론, 제도적으로도 보호를 받는다. 헌법에조차 '대학의 자율성은 법률에 따라 보장받도록' 명시돼 있다.

대학이 이처럼 사회의 지원을 받는다는 사실은 사회에 대해 일정한 책임을 져야 함을 의미한다. 날선 비판의식으로 사회의 방부제를 자임해야 하고, 나라 발전과 사회 변화의 견인차 역할을 수행해야 할 커다란 책임이 있는 것이다.

과거 우리 사회에서 대학은 이러한 책임을 지며 좀 더 특별한 의미를 품었다. 세계사에 유래가 없다는 한국의 경제적 성장과 정치적 민주화를 동시에 이룩하는 데 대학이 결정적인 역할을 한 것이다. 부실하기 짝이 없다고 안팎으로 욕을 먹기는 했으나, 그래도 우리 대학은 부지런히 선진국의 지식을 받아들여 전파함으로써 경제성장의 이론적, 실천적 발판을 마련했으며, 군부독재를 무너뜨리고 민주주의를 확립하는 데 큰 기여를 했다.

그러나 언젠가부터, 우리 사회가 어느 정도 경제적, 정치적으로 안정되고 난 이후부터, 대학의 사회적 책임에 대한 의식이 많이 약화된 듯하다. 교수들은 자기 연구실적 늘리기에 급급하고, 학생들은 취업 스펙을 쌓기에 바쁠 뿐 대학에 몸담은 사람으로서 가져야 할 책임에 대해서는 아무도 관심이 없다. 하지만 대학이 모래알처럼 흩어져 자기 이익만 생각하는 이들의 집합소여서는 안 된다. 책임 있는 리더십과 팔로워십에 대한 교육이 제대로 이루어지지 않는다면, 그것은 이미 대학이 아니다.

## 3

### 커다란 꿈

대학은 미래지향적인 조직이다. 당장 돈이 되지 않더라도 기초적이고 이론적인 논의를 하는 곳이다. 대학이라는 기관이 당장에는 쓸모가 없어 보여도 새롭고 창조적인 미래의 지식을 생산하도록 했기에, 인류가 진보를 계속해올 수 있었다고 나는 믿는다. 대학은 자잘한 현실보다 광대한 미래를 내다봐야 한다.

대학이 과도한 자율을 누리고 있다는 비판이 있는데, 그것은 대학의 이러한 미래지향적 속성을 간과한 시샘이라고 생각한다. 대학이 권력과 자본과 세속에서 독립되지 못하면, 큰 꿈을 꾸지 못한다. 대학이 근시안적으로 변하면 종국적으로 가장 큰 피해를 보는 것은 대학을 품고 있는 국가와 사회다. 그것을 알기에 대학에 먼 미래를 내다보라고 과분한 자율을 주고 있는 것이다. 물론 그렇기 때문에 앞서 이야기한 대로 대학 스스로의 책임도 막중하다.

그러니 그 안에 몸을 담고 있는 구성원들도 당장의 이익이 아니라 먼 훗날의 큰 꿈을 꿀 수 있어야 할 터인데, 현실은 정반대다. 다들 고도근시가 되어 당장 눈앞의 이해관계에만 급급하다. 물론 사회가 급변함에 따라 대학도 살아남는 것이 제일의 과제가 됐고, 그러자니 시대적 트렌드에 민감하지 않을 수 없게 된 측면은 있다. 하지만 교수들의 종신을 보장하는 등의 비효율을 감수하는 이유는 좀 더 장기적인 사고를 해달라는 역사의 요구가 반영된 것이다. 대학이 너무 보수적이어서는 안 되겠지만, 너무 현안에만 연연하는 것도 문제다.

대학과 교수들이 이럴진대 학생들은 오죽하랴. 자신의 전(全) 생애적 가능성에 대한 모색은 엄두도 내지 못한 채, 당장 취직이 급하고 안정된 생활이 아쉽다. 긴 호흡으로 자신의 '커다란 꿈'을 찾아가겠다는 학생은 보이지 않고, 딱히 쓸 데도 없을 것 같은 자격증에만 관심을 둔다. 최근 대학가에 부는 스펙 열풍이란 단순한 유행의 문제가 아니다. 대학의 본질에 반(反)하는 역사적 역류다.

너무 이야기가 딱딱하고 장황해진 것 같아 미안하다. 하지만 다소 어렵더라도, 그대의 청춘에 대학이라는 두 글자가 가진 의미가 막중하기에 '대학이 어떠한 곳이어야 하는지', 나아가 '젊은 그대가 추구해야 하는 것은 무엇인지' 한번은 이야기해주고 싶었다. 그렇다. 대학은 그대가 막연히 알던 것보다 훨씬 더 역사가 길고, 책임이 크고, 시야가 멀고 넓은 공동체다.

그대는 왜 대학을 꿈꾸었는가? 취업을 위한 최고의 스펙은 역시 출신 대학이니까? 고작 '○○대학교 출신'이라는 산지(産地)명을 오렌지처럼 이마에 찍고 비싼 값에 팔려나가려 하는가? 왜 무한한 가능성을 품은 그대의 잠재력을 믿지 못하고 코앞의 이익에 무너지려고 하는가?

다시 한 번 묻는다.

그대에게 대학이란 무엇인가?

# 일단 기차에 올라타라

"너 취직 못하는 거, 그거 니 책임 아냐. 국가적인 문제라고."

〈내 깡패 같은 애인〉이라는 영화의 대사다. 개인적으로 박중훈 씨를 좋아해서 오랜만에 극장에 가서 봤는데, 취업을 위해 고군분투하는 정유미 씨의 모습에 짠한 마음으로 공감하며 나왔다. 그런데 영화를 검색하다 보니, 어느 중소기업의 인사담당자는 자신의 블로그에 '이 영화에 결코 공감할 수 없다'고 적고 있다. 막상 중소기업에서는 인재를 구하기가 '하늘의 별 따기'라는 것이다.

어느 신문에 '청년실업 완화를 위해 기성세대가 기득권을 많이 양보해야 한다'는 내용의 칼럼을 기고한 적이 있다. 순식간에 엄청난 댓글이 붙었다. 살면서 그렇게 많은 '악플'을 받아보긴 처음이었다. 주로 '젊은이들이 눈높이를 조금만 낮추면 얼마든지 취직할 수 있을 것'이라는 내용이었다. 자신들은 훨씬 더 열악한 환경에서 직장생활을 시작했다면서…….

하지만 나는 이런 의견에 동의하지 않는다. 지금의 기성세대는 1인당 국민소득이 100달러도 되지 않던 시대에 태어난 사람들이다. 당시에는 굶어죽지 않으려고 일을 했다. 수많은 시골처녀들이 입 하나 줄이기 위해 먹여만 주는 조건으로 도시로 올라와 '식모'로 일하던 시절이었다. 하지만 지금의 젊은이들은 국민소득 1만 달러 시대에 태어난 세대다. 일자리, 삶에 대한 기대 수준이 기성세대와 완전히 다르다. 굶어죽을까 걱정돼 일을 하는 친구는 거의 없다. 행복한 현재의 삶과 꿈을 펼칠 수 있는 비전을 위해 직장을 고른다. 그러므로 이들에게 자신의 경험을 들이대며 무작정 '눈높이를 낮추라'고 호통치는 것은 온당하지 않다고 생각한다.

현재 대한민국 20대 대다수의 삶은 전적으로 취업을 위해 돌아간다. 인턴이며, 연수며, 학원이며…… 방학도 여가도 없이 스펙 쌓기에 여념이 없다. 공한족(恐閑族)이라고, 한가한 것이 두려운 족속이라는 별명까지 얻었다. 아무 곳에나 취직하려면 뭐 하러 이런 노력을 하겠는가? '괜찮은 직장'을 위해 이렇게 애를 쓰는 것이다.

하지만 그 '괜찮은 직장'에 대한 경쟁이 사상 최악으로 치열해진 것이 문제다. 대학졸업자는 과거보다 크게 늘어났는데 고용 없는 성장은 지속되고, 기성세대의 기득권 사수가 누적되면서 사회가 제공할 수 있는 좋은 일자리는 정체를 거듭하고 있다. 인력에 대한 수요는 제자리인데 공급은 폭증했으니, 경쟁이 상상을 초월할 만큼 치열해지는 것은 당연한 일이다.

그렇다. 20대의 취업이 어려운 건 사회적 문제다. 젊은이들 개개인에게 전적으로 책임을 물을 수는 없는 문제라는 것이다. 스승으로서, 아버지로서, 그러면서도 기득권을 가져버린 기성세대로서, 미안하고 안쓰럽다.

그러나 젊은 그대들의 입장도 십분 이해하고, 또 그것이 그대들만의 문제는 아니라는 점도 인정하면서도, 그럼에도 불구하고 어렵사리 개인적인 충고를 하나 조심스럽게 하려 한다.

일단 기차에 올라타라는 것이다.

젊은이들은 취직이 안 돼서 난리이지만, 기업의 인사담당자들을 만나보면 뽑을 만한 인재가 없다고 또 난리다. 고용시장은 결혼시장과 비슷한 구석이 있다. 구직자는 자기 능력보다 더 훌륭한 직장을 구하려고 하고, 회사는 제공할 수 있는 대우보다 더 나은 지원자를 뽑고 싶어 한다. 서로의 기대 차이가 불균형을 만든다. 이 불균형이 지속되면서 구직난 속의 구인난이 생겨나는 것이다. 맞선 자리에서도 비슷한 일이 자주 발생한다.

하지만 고용과 결혼 간에는 차이점도 있다. 예비 신랑신부에게 "나중에 이혼하면 되니까, 눈높이를 낮추더라도 일단 결혼해봐!"라고 할 수는 없지만, 취업 희망자들에게는 "나중에 기회가 많으니, 일단 시작해봐." 하고 조언할 수는 있다는 것이다.

그래서 충고하고 싶다. 일단 출발하는 기차에 올라타라고.

사회는 그대의 미래를 쉽사리 믿으려 하지 않는다. 그대의 미래를 담보해줄 그대의 과거를 본다. 다시 말해 조직은 그대의 잠재력보다는 그대의 경력을 보려 한다는 것이다. 게다가 그들은 예비적인 지표인 '스펙'이 아니라, 그대가 일터에서 입증해온 '실적'을 보고 싶어 한다. 그렇기 때문에 이런저런 스펙을 쌓아서 내가 얼마나 커다란 '잠재력'을 가진 인재인가를 보여주려 하기보다는, 규모가 크건 작건 회사에서 이런 저런 경험을 쌓으면서 얼마나 다양한 업무처리의 '경력'을 쌓았는지를 보여주는 것이 더 효율적이다. 그러므로 다소 처우가 열악하고 명성이 떨어지는 곳이라도 일단 취업해 경력을 만드는 것이 취업재수를 하며 토익점수 몇 십 점 올리는 것보다 낫다는 것이다.

물론 우리나라 중소기업의 현실은 열악하다. 이를 모르는 것이 절대 아니다. 무엇보다도 보수나 안정성이 떨어진다. 가족경영을 하는 곳이 많아서 핵심적인 자리에는 '사장님 조카' 같은 사람들이 꽉 잡고 있는 곳도 많다. 조직이 작으니 승진의 기회도 적다. 하는 업무도 중구난방이고 특히 다른 거래업체와의 관계에서 '을(乙)'이라 부르는 종속적 지위에 놓이는 경우도 흔해서 스트레스도 많다. 나아가 회사를 옮기는 것이 말처럼 쉬운 일도 아니다. 헤드헌팅 회사마다 고만고만한 이력서가 쉬지 않고 쌓인다. 또 이직에 성공하더라도 상대적으로 초라한 첫 직장의 이력이 꼬리표처럼 따라다니는 것도 사실이다.

하지만 안타깝게도, 이것은 선택의 문제다. 계속 백수로 지내면서 '간'만 보는 것과 일단 열악한 회사라도 들어가는 것 중 무엇이 '덜 나쁜가' 하는 '차악(次惡)의 선택'을 해야 하는 문제라는 것이다. 이 글은 그 선택을 조금이나마 돕기 위한 것이다.

먼저 중소기업에서 느끼는 스트레스란 실은 아무리 좋다는 대기업에서도 공통적으로 느끼는 것인 경우가 많다는 점을 알아야 한다. 대부분 대기업의 업무량은 매우 과중하다. 또 인사관리 시스템이 치밀해서 조직생활의 스트레스가 크고, 업무가 세분화되어 있어 넓은 시야를 키울 기회 없이 좁은 영역의 직무만 수행하는 단점도 있다. 어느 조직도 거저 보수를 주지 않는다. '중소기업이라서 느끼는 아픔'이라는 것이 실은 대기업에서도 흔히 존재하는, '직장생활을 하는 아픔'이라는 것이다.

이런 점을 감안할 때, 그대가 기차에 올라타야 하는 이유는 분명해진다. 몇 달 후, 혹은 몇 년 후 그대가 원하던 직장에 원서를 내밀 때, 화려한 스펙만으로 그대를 두 팔 벌려 반겨주리라 기대하는가? 사회의 눈은 냉정하다. 특히 기업은 모든 것을 '돈'으로 환산하는 차가운 조직이다. 그러하기에 그 세월 동안 아무것도 안 한 것보다는 어떻게든 사회에 발을 디뎠던 사람을 더 인정한다. 이유는 두 가지다. 그대가 사회초년에 치러야 할 학습비용을 다른 어딘가에서 이미 지불했기 때문이고, 또한 그대가 그 세월 동안 그냥 놀고 있지는 않을 만큼 부지런하고 열정이 있다는 증거가 되기 때문이다.

그 출발이 중소기업이라고 주저하지 말라. 중소기업의 가장 큰 장점은 다양한 경험을 할 수 있다는 것이다. 작은 기업에서는 그때그때 가리지 않고 업무를 수행하는 경우가 많다. 물론 짜증날 수도 있는 상황이지만 기업에서 필요한 다양한 일을 두루두루 경험해볼 수 있다는 것은 전체 경력을 관리할 때 무시 못 할 장점이 된다. 또 중소기업에서는 자기 역량을 인정받기 쉽고, 일단 크기 시작하면 성장의 속도가 빨라 발탁 승진의 가능성도 훨씬 높다.

특히 창업을 고려하고 있다면, 규모에 관계없이 반드시 업무 경험을 쌓으라고 권하고 싶다. 빌 게이츠나 스티브 잡스처럼 청년창업의 신화를 쓰는 꿈을 꾸는 사람도 적지 않겠지만, 현실은 녹록지 않다. 나는 제자들이 너무 일찍 창업하는 것은 말리는 편이다. 사회는 만만하지 않고 사회 경험이 적은 상태에서는 너무나 시행착오가 많기 때문이다. 시장은 잔인하리만큼 냉정하다. 무경험자에게는 더욱 그렇다.

〈공부의 신〉이라는 드라마 대사대로, "이 사회에는 룰이 있다." 그런데 그 룰은 학교에서는 배우기 어려운 것들이다. 그러므로 창업을 꿈꾼다면, 작은 회사에 몸을 담고 사장님이나 부장님, 선배 사회인들이 어떤 문제에 봉착하고 어떻게 그 문제를 해결해나가는지 미리 어깨 너머로 배워두어라. 취업준비 학원에서는 절대로 가르쳐주지 못하는 것들이다. 이런 것들을 직접 경험으로 학습한 후에 실행하는 창업의 성공확률이 훨씬 더 높다.

'히든 챔피언(hidden champion)'이라는 말을 아는가? 이름이 널리 알려진 대기업은 아니지만 시장에서 인정받는 중강(中强)기업을 일컫는 말이다. 이런 회사를 잘 선택하면 성장속도가 빨라서 웬만한 대기업보다 더 많은 업무경험과 승진의 기회를 준다.

증권시장의 애널리스트들이 성장 가능성이 높은 회사를 찾아내 투자하듯, 그대도 이런 히든 챔피언을 찾아 자신을 투자하는 것은 어떤가? 무작정 장기미취업자로 대기하는 것보다는 더 나은, 시도해볼 만한 하나의 대안이라고 생각한다.

사실 인생에서 중요한 것은 첫 직장이 아니라 마지막 직장이다. 첫 한 방으로 승부를 결정지으려고 하지 말라. 마지막에 누가 웃을지 보자며, 호흡을 길게 가져갔으면 좋겠다. 그래서 취업을 그대의 '거대 생애계획(grand career plan)'의 틀 속에서 전략적으로 생각하고, 초반의 희생을 어느 정도 감수할 수 있었으면 좋겠다. 가능성만 있다면 말이다.

세상은 급변한다. 그리고 인생은 길다. 그 '감수'의 기간은 생각보다 길지 않을 것이다. 중요한 것은 어떤 출발을 했느냐가 아니라, 앞으로 남은 수많은 인생의 걸음들을 어떻게 걸어 나갈 것인가에 있다.

청춘이여, 일단 시작하라. 자기 기대에 미치지 못하더라도, 일단 겸손하게 사회에 발을 딛어라. '입석 3등칸'일지라도 일단 기차에 올라타라. 그리고 천천히 1등칸을 향해 움직여라. 그것이 전속력으로 달려가는 기차의 1등칸으로 단번에 뛰어오르는 것보다 쉬울 테니.

# 교정을 나서는 그대에게

졸업식 날. 이제 교정을 나서려는 그대는 한아름 꽃다발 속에 파묻혀 환하게 웃고 있지만, 나는 마음이 시리다.

대학 울타리 밖의 사회라는 곳이 얼마나 엄혹한지, 그대는 그 가운을 벗자마자 깨닫게 될 것이다. 돈을 내고 다니는 조직과 돈을 얻기 위해 다녀야 하는 조직이 얼마나 확연하게 다른지, 그대는 그 꽃송이들이 채 시들기 전에 깨닫게 될 것이다. 고등학교 때의 기대와는 너무나 다른 모습의 대학을 다녔던 경험을 기억해보라. 이번엔 더 확연히 다른 사회에서의 나날을 감내해야 한다.

취업을 확정하지 못하고 졸업을 '당하는' 친구들도 마음이 편치는 않겠지만, 설령 원하는 직장에 다니게 되더라도 세상은 전혀 녹록지 않음을 온몸으로 경험해야 할 것이다. 쉽게 돈을 주는 곳은 세상 어디에도 없다. 공부머리 다르고, 일머리 다르다고 했다. 대학에서의 경험은 그대의 성공적인 사회생활을 전혀 보장하지 않는다. 앞으로 그대는 수많은 것들을 엄청난 시행착오를 겪으며 새로 배워나가야 한다.

그래서 나는, 입으로 축하한다고 말하면서도 마음 한구석은 이렇게 시리다.

…… 졸업을 축하한다.

요즘 기업경영자들을 만나면 다들 하는 말이 있다. "요즘 신입직원들은 왜 그렇게 인내심, 애사심, 협동심, 패기, 예의, 도전정신, 기타 등등, 그런 것들이 모자라냐, 요즘 대학생들은 왜 다 그러냐." 대충 이런 불만들이다.

나도 구세대의 한 사람으로서 요즘 젊은 친구들이 개인주의적이라는 생각에는 동감한다. 하지만 자라난 시대가 다르고, 가지고 있는 가치관이 다르고, 회사생활의 목표가 다른 세대에게 자기의 기준을 따라줄 것을 요구하는 것은 곤란하지 않은가. 사실 우리 사회의 조직문화에는 문제가 많다. 개인의 희생을 너무 많이 요구한다. 조직과 개인이 더불어 행복한 조직으로 바뀔 필요가 있다. 새로운 가치관을 가진 새로운 세대가 나라의 각 분야에 자리 잡게 되면 그러한 방향으로 차차 개선되리라 믿는다. 바로 그대들의 손으로, 그대들이 개선시켜야 한다.

그러나 이는 그대가 만들어가야 할 미래의 이상향이고, 그대가 맞닥뜨려야 할 현재는 아니다. 조직과 개인의 행복이 늘 함께 갈 수 있으면 좋으련만, 불행하게도 꼭 그렇지는 않다. 대학에서는 학교생활 잘하는 것이 전체 생활의 행복으로 대체로 이어지지만, 사회에서는 조직생활을 잘한다는 것이 개인의 행복이 아닌 희생으로 연결되는 경우가 많다. 요즘 많이 개선됐다고는 하나, 특히 여성들은 가사와 육아를 병행하려면 극복해야 하는 장애가 한두 가지가 아니다.

나는 성공적인 인생이란 사회적 성취와 개인적 행복을 어떻게 조화시키는가에 달려 있다고 생각한다. 물론 그 조화가 쉽지는 않다. 먼저 한쪽 극단부터 보자. 사회적 성공을 개인적 행복과 동일시하는 사람들이 있다. "행복? 해앵보옥~?(개그콘서트 남하당 대표 박영진 씨의 말투라면 더 어울리겠다) 어디 그런 사치스런 생각을 하고 있어? 그냥 높이 올라가고 돈 많이 벌면 그게 바로 행복이지~ 다 배불러서 하는 소리야. 너도나도 행복, 행복 찾으면, 소는 누가 키워?" 하는 식으로 생각하는 것이다. 기성세대의 생각이 주로 이렇지만, 젊은 친구들 중에서도 성취욕망이 강한 경우에는 종종 이런 태도를 볼 수 있다.

이 부류의 사람들은 조직생활이나 사업을 하면서 곧잘 '파우스트' 식의 거래를 한다. 성취를 위해서 영혼을 팔겠다는 것이다. 많은 것을 포기한다. 취미를 그만두고, 가족이나 친구와 멀어진다. 개인적 만족을 주는 일에는 등을 돌리고 업무에 관련된 일에만 힘을 쏟는다. 직장이 자신의 유일한 우주로 변한다.

물론 사람들에게 열심히 산다고 칭찬을 받는다. 하지만 이들은 이러한 성공의 열매를 취하기 위해 대가를 치러야 한다. 자기의 삶이라는 값비싼 대가를. 조직과 일에 너무 열중한 나머지 자기 삶을 제대로 돌보지 못하게 된다.

"엄마가 있어 좋다. 나를 예뻐해주셔서. 냉장고가 있어 좋다. 나에게 먹을 것을 주어서. 강아지가 있어 좋다. 나랑 놀아주어서. 아빠는 왜 있는지 모르겠다."

어느 초등학교 2학년 학생이 썼다는 시가 화제가 됐던 적이 있다. 아마 그 아빠는 일만 열심히 한 전형적인 '한국 아빠'였을 것이다. 그렇게 자신을 희생해가며 일에만 몰두한 것이, 다른 사람이 아니라 바로 사랑하는 딸과 가족을 위해서였다고 본인은 항변하겠지만, 정작 딸은 그렇게 생각하지 않는다. 그는 가족을 잃은 것이다. 일단 성공하고 뭔가 이루고 나면 나중에 자기 삶을 찾겠다는 식의 생각은 매우 위험하다. 뭔가 이룬 시점이란 도대체 언제인가? 그런 시점은 오지 않는다, 없다.

요즘은 대개 55세 정도에 정년을 한다. '사오정', '오륙도'라는 말이 있을 만큼 은퇴가 빨라졌다. 앞의 '인생시계 : 그대의 인생은 몇 시인가?'에서 적었지만, 55세라고 하면 고작 오후 4시 30분이다. 이후 엄청난 시간과 삶이 기다리고 있는데, 자신과 가족을 잃어버리면서 얻어내는 성취란 해변에 지어놓은 모래성처럼 허망한 것이다.

물론 반대쪽 극단도 있다. 사회생활을 무슨 여가활동하듯 하는 사람이다. 업무에 올인하지 않고 조금만 힘들면 포기할 생각부터 한다. 그래서인지 대개 한 직장을 오래 다니지 못한다. 본인도 답답한 조직문화를 잘 견디지 못하고, 열심히 일하지 않는 직원을 오래 데리고 있겠다는 회사도 별로 많지 않다. 조직에서의 업무란 팀의 분업을 통해 움직이는데, 이런 사람들은 최소한의 책임조차 맞추지 못할 때가 많다. 협업해야 할 산더미 같은 프로젝트를 남겨두고 갑자기 잠수를 타버리거나, 가장 중요한 순간에 연월차를 만들어 쉬어버리는 식이다.

하지만 정작 본인은 '이 직장, 혹은 이 상사에게 문제가 많다'고 믿고 있으며, 그래서 자주 회사를 옮긴다. 그러나 비슷한 일은 반복된다. 문제의 근원이 자신에게 있기 때문이다. 종종 뒤늦게 공부를 시작하겠다고도 하는데, 그 내용이나 목적이 영 뜬금없어서 주위 사람을 뜨악하게 하는 경우가 많다. 대학원 입학시험을 주관하다 보면, 이런 사람을 가끔 볼 수 있다.

오해는 마시길. 자신의 개인생활을 중시하는 것 자체가 문제는 아니다. 그러나 그것이 무책임이나 인내의 부족으로 이어진다면, 그것은 심각한 결함이다. 직업이 주는 물질적, 사회적 안정이 개인의 행복을 이루는 토대가 되는데, 그것이 흔들려버리기 때문이다. 그런 식으로 시간이 지나면 그토록 소중히 여겨온 개인적 삶마저 위태롭게 된다.

이런 부류의 사람은 어떤 직업을 선택하느냐가 정말 중요하다. 자신의 개성과 조화를 이룰 수 있는 직업을 찾지 못하면 매우 고생스럽다. 그렇지만 안타깝게도, 그들은 그 직업을 찾는 데 아주 오랜 동안의 시행착오를 동반하게 되는 경우가 많다.

자, 그대는 어느 쪽에 가까운가?

졸업한 지 꽤 된 제자가 갑작스럽게 이메일을 보내 찾아뵈어도 괜찮겠냐고 한다. 자세한 말씀은 만나서 드리겠다고 하지만, 나는 무슨 이야기를 할지 쉽게 짐작할 수 있다. 지금 다니고 있는 직장을 그만두려는 것이다. 아마 대학원에 가기 위해 내 추천서가 필요하거나, 정말 이렇게 진로를 크게 바꿔도 괜찮을지 상담을 받고 싶은 것이다. 내가 전공을 크게 틀었기 때문에 그런지, 유독 그런 상담을 많이 받는 것 같다.

"이 길이 내 길인가?"

"이 일을 계속할 것인가? 지금이라도 새로운 일을 모색해야 하는 게 아닐까?"

이러한 질문은 사실 거의 모든 직장인이 끊임없이 제기하는, 매우 일반화된 문제다. 어쩌면 대학시절 내내 '어떤 직업을 어떻게 가져야 할 것인가'를 고민했던 것보다 더 심각하게, 자주 하게 될 고민이다. 햄릿이 "죽느냐, 사느냐."를 번민했던 것처럼, 수많은 사회인들이 오늘도 '떠나느냐, 남느냐'의 갈림길에서 스스로를 납득시키고 있다.

매우 어려운 선택이다. '새로 선택한 진로에 어떤 미래가 있을 것인가' 하는 불확실성이 두렵다. '이 직장을 그만두려는 것이 인내심이 부족해서는 아닌가' 하는 자신감의 부족이 염려스럽다. 그런가 하면 '여기 계속 남아 있는 것은 용기가 없어서가 아닐까?' 하는 확신의 부족을 자책한다.

너무나 많은 경우의 수가 존재하기 때문에, "지금 당장 네가 하고 싶은 일을 하라."든지 "한 우물을 파야 성공할 수 있으니 조금만 더 견뎌보라."는 식의 정형화된 하나의 답을 주기는 어렵다.

그렇다면 판단의 기준으로 삼아야 할 것은 무엇인가? 나를 찾아온 많은 제자들과 함께 이야기를 나눠보며 내가 분명히 느낀 것은, 자신의 전 생애적 진로계획의 목표를 세워야 한다는 것이다. 그리고 이를 가지고 스스로를 먼저 납득시켜야 한다. 약간의 승급에 현혹되어 이직을 결심하는 파우스트적 거래나, 지금 너무 힘들고 비전이 보이지 않는다는 이유만으로 무책임하게 여기저기를 기웃거리는 행동 모두가 위험하다.

가장 아둔한 행동은, 경력개발을 이 회사 저 회사 옮겨다니며 조금 더 높은 대우를 향해 차근차근 사다리를 오르는 일로 생각하는 것이다. 직장생활에는 때로 당장 좋아 보이는 제안이나 달콤한 상상을 거부하고, 지금 자신이 서 있는 곳에서 얼마나 큰 성과를 보일 수 있는지 스스로의 가능성을 시험하는 우직함이 필요하다. 그런 우직함 없이 메뚜기처럼 여기저기 뛰어다니다 보면 어느 순간에 신의 없는 외톨이가 돼 있는 자기를 발견하게 될지도 모른다.

물론 반대로 일상에 매몰돼서 자기 안에 잠재된 가능성을 파묻어버리는 것도 문제다. 용기와 비전이 부족해 새로운 인생을 개척하는 상상만 하다가 사직서를 쓰고 찢기를 반복하는 것도, 실은 비겁한 일이다.

마음의 거울을 자주 들여다보라.
지난 꿈을 종종 회상하고,
다가올 미래를 설계하라.
그런 노력들이 하나둘씩 모일 때,
그대의 삶은 팽팽한 줄 위의
균형을 유지할 수 있다.
그리고 그 균형의 끝자락에
성공과 보람의 조화가 닿아 있음을,
그대는 알게 될 것이다.

도대체 어쩌란 말인가?

학교와 사회는 다르다. 사회란 정답이 있는 문제에 올바른 답을 적어내면 거기에 맞는 학점이 나오는, 그런 곳이 아니다. 학교에서는 나태 속에 분주함이 있다. 생활은 다소 늘어지지만 대신 자기 인생을 어떻게 가져갈 것인가에 대해 바쁜 모색을 계속한다는 것이다. 하지만 사회에서는 분주함 속에 나태가 있다. 하루하루 일상이 너무 분주하면 그것을 처리하는 데 시간과 정열을 다 써버리고, 정작 자기를 비판적으로 돌아보는 일에는 나태하게 된다는 것이다. 바빠서 게으르다. 그렇게 바쁜 시간을 보내다가 어느 날 거울을 들여다보면 '뚱뚱한 가죽부대에 담긴 어색한 나'를 발견하게 되는 것이다. (註 : 황지우 시인의 〈어느 날 나는 흐린 주점(酒店)에 앉아 있을 거다〉에서 인용함.)

사회는 외줄을 타는 곳이다. 일의 성취와 개인적 행복 사이에서 외줄을 타야 하고, 떠날 것인가 머물 것인가의 고독한 의사결정의 외줄을 타야 한다. 그래서 균형이 중요하다. 어느 한쪽으로 무너지는 순간, 삶 전체가 균형을 잃는다.

어떻게 하면 균형을 유지할 수 있을까? 지금까지 계속 이야기해왔듯이, 결국 자기성찰이 중요하다. 직장생활을 시작하면 학생 때보다 훨씬 바쁘기 때문에 '분주 속의 나태'가 일상화된다. 그렇게 자기를 잃는 순간, 균형은 무너지는 것이다.

마음의 거울을 자주 들여다보라. 지난 꿈을 종종 회상하고, 다가올 미래를 항상 설계하라. 주어지는 기회가 기회인 줄 알 수 있도록 늘 준비하라. 그런 노력들이 하나둘씩 모일 때, 그대의 직장생활은 팽팽한 줄 위의 균형을 유지할 수 있을 것이다. 그리고 그 균형의 끝자락에 성공과 보람의 조화가 닿아 있음을, 그대는 알게 될 것이다.

교정을 떠나는 젊은 그대여, 청춘이여.
졸업을 축하한다.
그리고, 건투를 빈다.

나에게 쓴 편지

## 인생의 정점을 생각하다

서른아홉의 마지막 밤에 쓴 일기다. 아직 늙는다는 것에 대해 진지하게 생각해보지 않았을 그대 자신에게, 마흔이란 어떤 나이일까 한번 생각해보는 기회를 줬으면 좋겠다.

2002년 12월 31일

올해도 남지 않았다. 새해가 되면 마흔이 된다. 오늘의 하루와 내일의 하루가 크게 다를 리 없건마는 30대의 10년을 마감하는 요즘, 감회가 새삼 새롭다. 누구는 '4학년' 되는 기분이 어떠냐고 은근히 약을 올리기도 하고, 누구는 아홉 수였던 금년 한 해 별고 없었느냐고 안부를

물어주기도 한다. 마흔을 맞는 솔직한 나의 감회는 이렇다. '빨리 내년이 왔으면 좋겠다.'

늙어감에 서글프지 않을 사람 어디 있겠느냐만, 이처럼 나이 든다는 것에 가벼운 희열마저 느끼게 된 것은 '인생의 정점'에 대한 생각을 다시 하고 나서부터다.

흔히 20대를 인생의 전성기라고 여기는 것 같다. 육체적으로 가장 왕성하고, 성적 매력으로 충만하며, 정서적으로 가장 풍요롭고, 수많은 가능성이 잠재해 있기 때문일 것이다. 그래서 20대에서 멀어질수록 비애를 느끼는 것 같다. 하지만, 정말 20대가 우리의 전성기일까?

소비자학을 공부하고 연구하는 학자로서, 전도양양한 젊은이들을 가르치는 교육자로서 나는 해가 지날수록 내 자신이 성숙해짐을 느낀다. 그간 읽은 책들과 경험이 쌓이면서 사회와 사회를 구성하는 인간을 보는 시야도 많이 넓어졌고, 학생들과의 관계도 무척 유연해졌다. 이러한 추세를 계속 기대해도 좋다면, 교수로서 나의 전성기는 아마도 쉰다섯에서 예순 정도가 아닐까 생각해본다. 그렇다. 나는 차츰 나의 전성기에 다가가고 있는 것이다. 점점 나의 전성기에 다가가고 있다는 기대감에 마흔 됨이 즐겁다.

30대를 보내는 사사로운 소회를 이처럼 굳이 밝혀 적는 이유는, 훗날 20대의 제자들에게 잊지 않고 들려주기 위해서다.

그들은 흔히 자신의 시계(視界)를 졸업 직후에서 한 10년 이내로 한정하는 조급함을 보인다. 빨리 자격시험에 붙거나 좋은 직장을 구하여, 늦어도 30대 초반에는 주위로부터 인정받을 수 있는 지위에 오르려는 성급함 말이다. 대체로 그들은 이때 인생의 큰 승부가 모두 난다고 여기는 것 같다.

그러나 내가 젊은 시절에 소망하던 것들을 제법 이루었다고 위안하고 나서도 새삼 깨닫는 것은, 나의 진정한 성장은 아직도 20여 년이 남아 있다는 사실이다. 스물을 맞으며 성인으로서의 모든 권리를 오롯이 가질 수 있게 될 것을 기대하는 열아홉 소년의 기억과, 지금 마흔을 맞는 소감이 묘하게 오버랩된다.

아아, 이 또한 기쁘지 아니한가.

나는 20대의 비릿함과 30대의 미욱함을 이제 벗으려고 하는 것이다.

에필로그

# 사랑하는 나의 아들아

준,

고3의 막바지야. 힘들지? 아빠도 경험해봐서 알아. 수시 원서를 여기저기 내놓고, 논술과 수능준비로 하얗게 밤을 지새워야 하는 지금이 인생에 몇 안 되는 가장 힘든 고비의 하나라는 걸. 얼마 남지 않은 기간이지만 네가 유독 약한 언어와 사탐 준비를 잘해야 할 텐데, 걱정이구나.

함께 머리를 맞대고 고민해 지원한 모집단위의 경쟁률이 186.95대 1이라는 걸 확인하고 나니, 한계점에 다다르고 있는 무한경쟁의 시대가 정말 실감이 나는구나. 거기에 무방비로 내던져진 네가, 그리고 너의 동년배들이 한없이 안쓰럽다. 하지만 어떻게 하겠니? 결국 우리 인생의 짐인걸, 버겁더라도 그 무게를 짊어지고 한 걸음 한 걸음씩 나아가야 할 우리의 십자가인걸.

그래도 한 가지 위안이 있다면, 끝이 보인다는 거잖아? 이제 서너 달 후면, 긴긴 대입준비의 기간도 일단락을 짓게 될 거야. 내년 2월 고등학교 졸업식을 치르게 될 무렵에는, 지금의 이 고단함도 지나간 이야기가 되어 있을 테지. 그래, 누군가 말했듯 모든 것은 지나가. 다 지나가. 우리 조금만 더 견디자.

음……, 아니다. 사실대로 이야기해주는 편이 낫겠구나. 지금 보이는 끝이, 실은 끝이 아니야.

전국의 재수생과 고3들은 대학이 결승점이라고 생각하겠지만, 대학에서 생의 대부분을 보낸 아빠가 보기에 대학이란 문제의 출발점이야. 수많은 신입생들이 벅찬 기대를 안고 대학에 왔다가, 엄청난 꿈과 현실의 괴리에 좌절하는 모습을 숱하게 보아왔어.

'대춘기'라는 말이 있어. 대학생의 사춘기라는 뜻인데, 요즘엔 청소년기에 겪었어야 할 사춘기가 대학생이 돼서야 나타난다는가 봐. 요즘 청소년이 신체발달은 빠르지만 심리적 발달은 늦어져 사춘기가 오히려 지연되기 때문이라고 해. 게다가 입시준비 때문에 미처 고민할 겨를이 없었던 수많은 문제들이 대학에 와서 본격적으로 불거지게 되거든. 중고등학교 때에는 공부만 하면 됐지만, 대학생이 되면 성인으로서 모든 문제에 맨몸으로 맞닥뜨려야 하거든. 대학이란, 애벌레가 성충으로 변모하듯 수험생에서 사회인으로 다시 태어나는 사회적 변태(變態)가 일어나는 곳인 거야.

네가 지금 영혼을 팔아서라도 가고 싶어 하는 그 대학이란 곳이, 실은 그런 곳이야. 희망이 아니라 좌절인, 고생의 끝이 아니라 고민의 출발인. 이 책에 실은 글의 대부분은 그런 출발을 앞두고 있는 너를 생각하며 썼어. 내 아들에게 들려주지 못할 이야기라면 다른 집 자식에게도 하지 않겠다는 마음으로. 이런 아비의 글을 가슴으로 읽었길 바란다.

이렇게 살 수도 없고 이렇게 죽을 수도 없을 때

서른 살은 온다

(註 : 최승자 시인의 〈삼십 세〉에서 인용함.)

어느 시인이 나이 서른을 이렇게 노래했다는가 봐. 이 표현을 살짝 빌리자면, 내가 본 스무 살이란,

그렇게 살아서는 안 되는데, 그렇게 살고만 있는 나이

스무 살

대학입학 전까지 공부만 하느라 하도 고생을 해서 그런지, 혹은 그렇게 강력했던 부모들의 통제가 다소 줄어들어서 그런지, 많은 대학생들이 대학이 인생의 종착지인 줄 알아. 이제 갓 스물이 된 친구들이 너무 지쳐 있고, 너무 소심하고, 너무 혼란스러워해. 공부나 스펙 말고, 삶에서.

취업 준비에 너무너무 바쁘다고 하면서도, 막상 자세히 들여다보면 정말 '잉여짓'투성이야. 자기관리 능력이 형편없는 거지. 자기소개서에 써넣을 수 있는 게 아니면 아무 일도 하지 않으려고 해. 당장 보기에는 그럴 듯하고 합리적인 선택을 하는 것 같아 보이지만, 길게 보면 한심하기 그지없는 선택을 아무렇지 않게들 해. 똑똑한 척해도 실은 어리석은 거지. 그렇게 살아서는 안 되는 나이인데…….

그렇다면 어떻게 살아야 할까? 스물의 나이에 무엇을 해야 할까?

나는 네가 다양한 경험을 쌓았으면 좋겠어. 어떤 자격이 아니라 지혜를 갖출 수 있는 경험 말이야. 20대는 사람을 배우고, 사회를 배우고,

그리고 인생을 배워야 하는 시기야. 이런 '큰 배움'을 위해, 네가 대학생이 되면 뜨거운 열망을 가지고 세상에 뛰어들었으면 좋겠어. 이것저것 가리지 않고 많은 시도와 실수를 해보았으면 좋겠어.

아직 내가 누구인지, 무엇을 목표하는지, 어디로 가야 하는지, 확신이 서지 않더라도 다양한 도전을 계속했으면 좋겠어. 그래서 누구보다도 뜨거운 열망을 가슴에 품을 수 있었으면 좋겠어. 그런 도전을 평생 끊임없이 계속했으면 좋겠어.

"If you don't know where you're going, just go."

《이상한 나라의 앨리스》에 나오는 말이야. '어디로 가야 할지 모르겠다면, 그냥 가라.'

그래, 그냥 가. 실수하는 것보다 더 나쁜 것은 아무것도 하지 않는 거야. 배는 항구에서 더 안전하지만, 그것이 배의 존재 이유는 아니라고 했어. 배는 폭풍우를 견디며 바다에 있을 때 비로소 가치 있는 거야. 문이 아무리 많아도, 열지 않으면 그냥 벽이야. 되도록 많은 벽을 두들기고, 되도록 많은 문을 열어봐. 청춘이라는 보호막이 너의 실수를 용인해줄 거야.

사랑하는 나의 아들아,

아빠가 이런 글을 쓰게 된 것은 내 스무 살에 대한 후회 때문이기도 해. 그 후회란 단지 내가 더 성실하게 생활하지 못했다거나, 그때 다른 직업을 택했다면 어땠을까 하는, 그런 종류의 아쉬움이 아니야. 누군가 내게 과거의 나와 통화할 수 있는 전화기를 주었으면 좋겠어. 그래서 내가 만약 스무 살의 나에게 딱 한 번만 전화를 걸 수 있게 된다면, 나는 청춘의 나에게 이 한마디를 해주고 싶어.

아프니까 청춘이라고.

그러므로 너무 흔들리지 말라고. 담담히 그 성장통을 받아들이라고. 그 아픔을 훗날의 더 나은 나를 위한 연료로 사용하라고.

청춘은 원래 그렇게 아픈 것이라는 말로 너와 네 친구들에게 들려주는 아빠의 긴 이야기를 매듭지을까 해. 이 책에서 네가 읽은 어느 한 구절이 네 충실한 청춘의 작은 동반자가 될 수 있기를 바란다.

2010년 11월 어느 날,

사랑하는 아빠가